まほろ駅前多田便利軒

三浦しをん

文藝春秋

まほろ駅前多田便利軒　もくじ

写真　前　康輔
本文イラスト　下村富美
装幀　大久保明子

まほろ駅前多田便利軒

〇　曽根田のばあちゃん、予言する

一　多田便利軒、繁盛中

○ 曽根田のばあちゃん、予言する

「あんたはきっと、来年は忙しくなる」

年の瀬も押し迫ったある晴れた日の夕方、曽根田《そねだ》のばあちゃんはそう言った。

病院内の談話室はとても静かだ。窓越しに、枯れた芝生と葉を落とした立木が見える。二台ある大型テレビはどちらも音量を極限まで絞り、片方はドラマの再放送を、もう片方は競馬中継を映しだしていた。

談話室に集まった老人たちは、思い思いのテーブルにつき、自然と二手に分かれて、どちらかのテレビに見入っている。たまに、病室から持参したソバボーロの袋を探る音や、車椅子の車輪の軋《きし》む音が響く。

「商売が繁盛するのかな」

多田啓介《ただけいすけ》は、手みやげのカステラを一口サイズに切り分けながら聞いた。曽根田のばあちゃんは、カステラを虎視眈々《こしたんたん》と狙っている。多田はテーブルに置いた紙皿に、二切れだけのせてやった。残りはタッパーに詰め、「いっぺんに全部食べちゃだめだよ。おやつの時間に、部屋の仲間と食べること」と言い聞かせる。

自動販売機で買ったあたたかいお茶を、紙コップに注いで手渡す。ばあちゃんはカステラを茶に浸《ひた》し、ふやかしながら食べはじめた。

「商売は今年と変わらない。あんたは自分のことで忙しくなるんだよ」

と、ばあちゃんは言った。「もしかしたら、あの嫁と別れることになるのかねえ?」

俺はもう嫁とはとっくに別れてるぞ、と多田は思ったが、黙ってばあちゃんの話を聞いていた。

「あとはまあ、旅をしたり、泣いたり笑ったりさ」

「旅? どこへだろう」

「とてもとても遠い場所。自分の心のなかぐらい遠い」

ばあちゃんは、「夜中に現れるというお化けは、実際は曽根田さんの心が見せているものなんですよ」と医者に言われて以来、自分の心をあまり信用していない。外国ぐらいに遠くて、言葉の通じない場所だと思っている。

「やあ、キクさんの予言だ」

しわがれた声を急にかけられ、多田は背後を振り仰いだ。病院内でよく見かけるじいさんが、点滴の袋のついた棒を杖がわりに立っていた。「どうするどうする?」とじいさんは首を振り、テレビのほうへ去っていく。ばあちゃんは紙コップのお茶を最後の一滴まですすり飲んだ。

「とにかくあんたは忙しくなって、もう私のところへはあまり来てくれなくなるだろうねえ」

「そんなことはないよ、母さん」

多田はあとの言葉につまった。また来る、と自分の一存では言えなかったからだ。不自然な間をごまかすために、「そろそろ部屋に戻ろうか」とうながすと、曽根田のばあちゃんはおとなしくうなずいた。

ばあちゃんはゆっくりと廊下を進み、多田は辛抱強くその歩調に合わせた。九十歳になんなんとするばあちゃんは、腰が曲がり、多田の腹ぐらいまでしか背丈がない。

病室は六人部屋で、ばあちゃんのベッドは片側に三台並んだうちの真ん中だ。ばあちゃんがこれまたきわめてゆっくりとベッドに這いあがるのを、多田は手伝った。シーツのうえに正座したばあちゃんは、小さな大福みたいに丸まって見えた。

スチール製のサイドボードにタッパーをのせ、多田は別れの挨拶をしようとした。ちょうど看護師が部屋に入ってきて、多田にちょっと会釈する。多田は帰るきっかけを失った。

看護師はばあちゃんに向かって、

「曽根田さん、いい息子さんでよかったわねえ。またお見舞いにきてもらったの？」

と明るく言った。そして、一番奥のベッドで横たわる、見た目からでは性別不明な老人の耳元に、「背中痛い？　姿勢変えようか」と大きな声で問いかける。奥のベッドは手早くカーテンで仕切られ、看護師が床ずれ防止に老人を転がす気配がした。

曽根田のばあちゃんの、薄くなった柔らかい白い頭髪。多田はそのつむじのあたりを見下ろし、しばらく突っ立っていたが、とうとうばあちゃんに言った。

「じゃあね、母さん。よいお年を」

「うん」

と、ばあちゃんは小声で答えた。別れ際はいつも、ばあちゃんは無口になってしまうのだ。多田は足早に廊下へ出た。出たところで病室を振り返ると、ばあちゃんは大福と化したまま、ベッドでじっとうつむいていた。

本当にいい息子なら、年老いた母親を病院に放りこんだまま正月を迎えたりしないし、あかの他人に、代理で母親の見舞いをさせたりしない。そう思うが、しかし自分があかの他人だからこそ、のんきに綺麗事を言えるのだということも、多田にはわかっていた。

駐車場に停めた白の軽トラックに乗りこむと、心底ほっとした。どれだけ明るいクリーム色で壁を塗ろうとも、病院内の空気はなんとなくひとを陰鬱な気分にさせる。

キーをまわしてエンジンをかけ、暖房が効くのを待ちながら煙草に火を移した。鼻のつけ根に、アンモニアと消毒液のにおいが混じって淀んでいる。車の窓を細く開け、煙と一緒に外へ流した。ジャンパーのポケットから携帯電話を出し、目当ての番号にかける。五回目のコールで、中年の女の声がした。

「曽根田工務店です」

「便利屋の多田です。正敏さんはいらっしゃいますか」

「外に出てますけど。お見舞いが終わったの？」

「はい、いま」

「いつもご苦労さま。主人には伝えておきます」

通話はそっけなく断ち切られた。あなたは来年離婚することになるかもしれないから、気をつけたほうがいいですよ。そう言ってやる間もなかった。まあいいか、と多田は思い、携帯をしまった。ばあちゃんの言葉は、もちろん予言などではない。単なる愚痴だ。

明日は門松の取りつけが五件と、大掃除が一件入っている。多田は軽トラックを発進させ、まほろ駅前にある自分の事務所へ戻っていった。

一　多田便利軒、繁盛中

便利屋は、一月と二月はわりあい暇だ。

引っ越しも少ないし、冬のあいだはむしるほどの草もはえない。特に、人々から正月気分が抜けないうちは、商売あがったりだった。新年を迎え、すがすがしい気持ちで家族とくつろいでいるときに、得体の知れぬ他人を家に上げ、なにか作業をさせようと思うひとはあまりいない。

多田も例年なら、事務所兼自宅の古ぼけたビルの一室で、だらだらと寝正月を満喫中だったはずだ。ところが、今年はやや勝手がちがった。前年の大晦日に、急に犬を預かることになったのだ。

事務所を訪ねてきた女は四十代前半で、両手に荷物をぶらさげていた。ボストンバッグと、プラスチックの赤い犬用キャリーケースだ。多田が応接スペースのソファをすすめると、女は遠慮がちに座面の埃を払ってから腰かけ、置き場所に迷った末に、ボストンバッグは膝に、キャリーケースは床に下ろした。

「家族で急に、主人の実家に帰省することになりまして」

と、女は言った。「ペットホテルは予約でいっぱいだし、つれて帰ろうにも、主人の母は喘息で動物がだめなんです。お正月から近所のひとに犬の世話を頼むのも気が引けるし、困ってしまって……」

「なるほど」

多田はあまり気乗りがしなかった。夫のことを「主人」と称する女が、多田は基本的に苦手だ。つまり、既婚女性のうちの大多数を、多田は苦手としていた。だがそんなことを言っていたら、仕事が立ちゆかない。便利屋に依頼をしてくるのは、ほとんどが主婦なのだ。多田は、足もとのキャリーケースのなかで蠢《うごめ》く小動物の気配を探った。

「どんな犬ですか?」

女がケースを持ちあげ、多田は格子越しになかを覗いた。チワワだ。最悪である。犬の散歩を請け負うことも多々あったが、多田は最近はやりの小型犬がきらいだった。あまりにも小さくて不安になる。どれだけ歩かせれば適正な運動量なのか、皆目見当がつかない。それに、大柄で無精ひげをはやした多田が、小汚いジャンパー姿で小型犬の散歩をしていると、道行く小学生がくすくす笑うのだ。

「かわいいワンちゃんですね。お引き受けします」

多田が差しだした簡単な依頼書と契約書に、女は必要事項を記入してサインした。佐瀬健太郎。四十二歳。住所はまほろ市久生《ひさお》四丁目十五。多田はもちろん、書類に自分の名前ではなく夫の名前を書く女も苦手だった。

女はボストンバッグから必要なものを取りだした。ドッグフードと皿、新品のトイレシート、犬のお気に入りのぬいぐるみなどだった。与える餌の量と、長時間の散歩は必要ないことを確認し、一月四日の昼までの契約を交わした。

代金は現金前払いでもらっている。女は文句も言わずに財布を開き、領収書を受け取るのもそこそこに、事務所を去った。別れ際に犬をケースから出して抱くことも、声をかけることもしなかった。

こうして、多田は犬と一緒に年を越し、犬と一緒に正月を迎えることになった。

チワワはテレビで見るとおり、大きな目を潤ませ、常に震えている生き物だった。寒いのかと思い、寝床がわりの段ボール箱に毛布を敷いてやり、慣れぬ場所が怖いのかと思い、ぬいぐるみで遊び相手になってやった。最後は体の具合でも悪いのかと心配になり、夜中に何度も箱を覗いて生きているか確認した。

しかし、多田がどれだけ心を砕いても、チワワはあいかわらず震えていた。どうやらそういう体質らしい。多田は一月二日になってようやく、チワワの小刻みな振動については気にしないことに決めた。

気疲れがたまっていたので、チワワとの朝の散歩を適当に切り上げ、酒を飲んではうとうとする一日を過ごした。チワワは静かなもので、「チワワ」と呼べば喜んで走ってくるが、あとは放っておいても部屋のなかでおとなしくしている。埃っぽい板張りの床をチワワが歩くたび、カシカシと爪のこすれるかすかな音がした。

部屋のなかに、自分以外の生き物の気配があるのはひさしぶりだ。そのせいなのか、多田は夢を見た。風に吹かれ、分厚い本のページが手招くようにめくれている。なつかしさが逆に居心地の悪さを喚起して、多田はうっすらと目を開けた。

ビル前の道路は、駅周辺の繁華街を避け、まほろ市街へ出るための抜け道だ。ふだんならば交通量が多いのだが、正月はさすがに通る車もまばらだった。夢のなかで聞いたページのめくれる音の正体は、たまに窓の下を走りぬける車のエンジン音だったらしい。多田はぼんやりと部屋を見渡した。チワワは段ボールの寝床で眠っていた。

夕飯のインスタントラーメンをゆでているとき、事務所の電話が鳴った。どうせろくな用件ではない。ドッグフードを盛った餌皿を、足でチワワのほうへ押しやった。電話はなかなか鳴りやまない。しかたなくガスの火を止め、居住スペースとの仕切りのカーテンを開けて、受話器を取った。

「多田便利軒です」

「山城町の岡だ」

多田が新年の挨拶をしようとするのをさえぎって、岡はてきぱきとつづけた。

「明日は空いてるか？　朝の五時半から夜の八時半ごろまで」

拘束時間がずいぶん長い。正月三日になにをやらせるつもりだ、と多田はいぶかしく思った。

「作業内容は」

「年末にできなかった、庭と納屋の掃除。というのは建前で、バスの運行を監視してほしい」

「はい？」

「詳しいことは明日話す。じゃ、五時半に」

「岡さん、岡さん」

多田は急いで受話器に呼びかけた。「いま、犬を預かってるんです。そいつの世話もしなきゃならないので、長い時間の作業はちょっと……」

「つれてくりゃいい」

と、岡は言った。「犬っころ一匹ぐらい、うちの庭で遊ばせとけ」

岡は「遊ばせとけ」の「け」を発語すると同時に、通話を断ち切った。多田は腹立ちまぎれに乱暴に受話器を叩きつけ、コンロのまえに戻った。チワワは餌皿をきれいに舐めつくし、ラーメンは鍋のなかで不気味に膨張していた。

「明日は出動だ、チワワ。今夜は早く寝るように」

と多田は言った。チワワはやっぱり震えながら多田を見上げ、伸びをしてから段ボールの寝床へ向かった。

俺の話を聞いてくれるのはおまえだけ。おお、犬っころ、犬っころ。多田は歌いながら鍋に粉末スープを投じ、脳みそのようにふやけた麵を、味覚と触覚を遮断して胃に流しこんだ。

まだ日の射さぬ早朝の道を、軽トラックで山城町に向かった。

荷台には、庭掃除に必要な道具一式を積んだ。チワワは暴れることもなく、助手席にのせたキャリーケースに収まっている。山城町までは、まほろ駅前から車で二十分ほどの距離だ。アパートと畑が混在する地域で、地主の住まいらしき大きな農家が目を引いた。

岡の家は街道沿いにある。この土地の古くからの住人であることを示すかのように、庭の巨木が枝を広げている。持っていたたくさんの畑は、全部つぶしてアパートにしたらしい。岡は家賃収入だけで悠々自適の隠居生活を送っていた。

多田は、砂利の敷きつめられた前庭に軽トラックを乗り入れた。岡はすでに庭の片隅に立ち、なにやら独創的な体操を一人でしていた。多田が車から降りたのを見ると、腕を振りまわすのをやめて歩み寄ってくる。

新年の挨拶を、多田はまたしても言うことができなかった。岡は庭石に置いてあった事務用バインダーを取りあげ、それを多田にぐいぐい押しつけながらまくしたてた。

「感心だな、時間どおりだ。庭と納屋の掃除は、いつものように適当にやってくれてかまわない。掃除をしながら、バスの運行にも目を光らせてほしい。そっちが今日の眼目だ。バインダーを持て」

多田は胸元に突きだされたバインダーを受け取り、外灯を弾いてうっすらと輝く岡の禿頭《とくとう》と、バインダーに挟まれた紙とに、交互に視線を向けた。紙は二枚で、どちらも左半分には、岡がバス停の時刻表を書き写したらしき数字の羅列があった。右半分にはなにも書かれていない。

「うちのまえに、バス停があるだろ」

と、岡は街道のほうを指した。振り返るまでもない。岡邸の門前には、「山城町二丁目」というバス停があった。庭にいれば、街道を走るバスの姿がいやでも目に入る位置だ。

「去年から気になっていたんだが、どうも間引き運転をしているとしか思えん。俺も含め、このあたりの年寄りにとって、バスは重要な交通機関だ。病院に行くにも、駅に出るにもな」

岡は真剣な口ぶりである。岡の家のまえを通るバスは、山城団地とまほろ駅のあいだを、まほろ市民病院を経由して結ぶ路線だ。多田は、今日はまた格別に寒いな、息がすごく白い、などと考えていたが、表情には出さなかった。

「具体的に、俺はなにをすれば？」

「庭掃除をしながら、バス停を監視する。俺が休日ダイヤを上下線とも書いておいたから、あんたはその紙の右っかわに、実際にバスが何時何分にバス停に来たかを記入していってくれ。そうすりゃあ、バスの運行がどれだけ遅滞とごまかしに満ちてるか、おのずと明らかになるだろう」

「なるほど」

と、多田は言った。

一日分の代金が渡された。軍手をはめ、荷台から箒《ほうき》やゴミ袋を下ろす。それから思い出して、家のなかに入ろうとしていた岡に声をかけた。

「犬を庭に放していいですか」

「好きにしろ。始発は五時五十分に来る予定だ。俺は忙しいから、あんたに任せる。しっかりやってくれ。間引きの証拠を集めて、横中《よこちゅう》の怠慢を告発してやるんだからな」

まほろ市は一応東京都なのだが、なぜか横浜中央交通、略して横中が、市内のバス路線を一社独占しているのだ。多田は、金持ちのすることはよくわからん、と思いながら、バインダーを門柱のうえに置いた。庭に面した窓から、岡が居間に寝っころがってテレビを眺めはじめるのが見えた。

言いたいことは山ほどあったが、ぐっとこらえて作業にあたるのが便利屋だ。多田はそう心得ていたので、

「なるほど」

と、もう一度つぶやくにとどめた。それから一日中、庭と納屋の掃除に励み、合間にバスの運行状況を紙に書きとめ、喜んで駆けまわるチワワの糞の始末をした。

夜の八時半に、駅に向かう終バスが岡の家のまえの街道を走り去っていった。あたりはすっかり暗い。多田はすでに、軽トラックの荷台に掃除道具やゴミを積みこみ、帰り支度を終えていた。やれやれ、とバインダーを手に岡家の玄関の引き戸を開ける。

「作業終わりました。こんな感じでよろしいでしょうか」

晩酌をしていたのか、顔を赤らめた岡が奥から出てきた。外灯の明かりを頼りに、すっきりした庭の様子を透かし見て、満足そうにうなずく。

「で、どうだった?」

「間引きの事実は、残念ですが今日は確認できませんでした。道が混んで時間どおりに来ないことはありましたが、総本数は、たしかに時刻表に記載されたとおりです」

「おかしいな」

岡は多田からバインダーを受け取り、首をひねった。「目を離して、適当に書いたってことはないか?」

そう思うなら頼むなよ。頭のなかで岡を絞めあげ、多田は一拍おいて笑顔を作った。

「いいえ。昼は奥さんが差し入れてくださったおにぎりを、門のまえに座って街道を見張りながら食べましたし、小便、失礼、小用は、これまた街道を見張りながら、庭の隅でペットボトルにしました。証拠の品をお見せしますか?」

「いや、けっこう」

「そうですか」

本当は、庭の隅の椿の根本にかけてやったのだ。「それじゃあ、これで失礼します。ご用の際には、またいつでもお電話ください」

岡は、調べる日をまちがえている。多田は軽トラックに向かいながら、そう考えた。たぶん三が日のあいだは、出勤した運転士には特別手当がつくはずだ。人員を確保するのは、かえってたやすいのではないか。もし本当に横中が間引き運転をしていて、その証拠をつかみたいというのなら、調査はなんでもない平日に行うべきだ。

しかし、そんな入れ知恵をしてやる義理もない。正月早々、ばからしい仕事だった、と多田は運転席のドアを開け、そこでようやく、連れがいたことに思い当たった。

「チワワ、どこだ」

暗い庭に呼びかけるが、しばらく待ってもチワワは姿を現さない。木々のざわめきが邪魔をして、気配を探るのも難しかった。

「こりゃまずい」

多田は、「チワワ、チワワ」と小声で呼びながら、庭じゅうをぐるりとまわった。チワワはどこにもいなかった。

「だからいやだったんだよ、脳みその小さい犬は」

まさか街道でミンチになってるんじゃないだろうな。多田はあわてて岡の敷地から飛びだし、車の行き交う路面に目をこらした。惨劇の跡はないようだ。左右を見まわすと、駅方面行きのバス停のベンチに人影があった。

多田はそちらに近づき、「チワワを見ませんでしたか」と聞こうとしてやめた。ベンチに座っていたのは黒いコートを着た同年代の男で、その腕にはチワワが抱かれていたからだ。

男は気配に気づいて、多田を振り仰いだ。通りすぎる車のヘッドライトが、男の顔を照らしだす。暗い部屋で照明のスイッチを探すときのような、どこか焦点のぶれていた視線が多田のうえで静止し、男は唐突に、「煙草ある？」と尋ねた。多田はジャンパーのポケットから煙草を取りだし、ライターごと渡した。

「ラッキーストライク」

と男は言い、箱から振りだした煙草をくわえ、百円ライターで火をつけた。すべての動作は左手だけで行われた。右腕はチワワを抱えたままだ。

「これ、もしかして多田の犬？」

「ああ」

「ふうん、似合わないな」

男はベンチから立ちあがり、多田の腕に煙草と一緒にチワワを返した。多田の反応が鈍かったためか、男は困ったように、唇の端で煙草を揺らした。

「あー、俺がだれだかわからない？」

「いや、覚えてる」

正確に言うと、思い出した。「行天《ぎようてん》だろ」

行天春彦《はるひこ》は、多田が都立まほろ高校に通っていたころの同級生だった。三年間、同じ教室にいはしたが、多田は行天と会話をかわしたことはなかった。というよりも、行天と仲のいいものはだれもいなかったのだ。

行天の成績はすこぶるよく、見た目も悪くはなかったから、他校の女子生徒が、行天目当てに校門付近にたむろっているほどだった。しかし行天は校内では、むしろ変人として有名だった。言葉を発さなかったのだ。授業中に教師に指されても、クラスメートが事務的な用事で話しかけても、彼はかたくなに沈黙を貫いた。

高校に入学してから卒業するまでで、行天がしゃべったのは、驚くべきことに一回だけだった。

工芸の時間に紙模型の家を作ることになり、行天は裁断機を使っていた。そこへふざけていた男子生徒数人が突進し、弾みで行天の右手の小指が断ち切れたのだ。

行天は、「痛い」と言った。切断面から花火みたいに血が噴きだし、教室は大パニックに陥った。床に転がった小指を、行天は自分で拾いあげた。小銭を落としたのかと思うほど淡々としていた行天の動作が、ひさしぶりに多田の脳裏に蘇る。

保健医が駆けつけ、行天は救急車で病院に運ばれていった。処置が早かったせいで小指はくっつき、行天は数日後には教室にいた。小指切断の原因となった男子生徒たちは、当然のことながら涙ながらに謝罪した。しかし、右手を包帯でぐるぐる巻きにした行天は、再び物言わぬ変人に戻っていた。

結局、多田をはじめとするクラスメートが行天の声を聞いたのは、「痛い」の一言を発したときのみだ。工芸の授業を選択していなかったものは、セイレーンの歌声を聞き逃した船乗りのように、「縁起の悪いもんを耳にしなくてよかったよ」と言いつつも、残念そうなそぶりを見せた。行天は謎の生命体として、ますます遠巻きにされたのだった。

「ピンポン、正解」

と、行天は右掌を多田の顔のまえにかざしてみせた。白い傷跡が小指のつけ根を一周しているのが、夜目にも浮かびあがって見えた。

「こんなとこでなにしてんの？」

行天の問いかけに、多田は質問で返した。

「おまえは?」

「俺は実家がこの近くだから。正月の帰省を終えて、駅に向かうところ」

「バス、もうないぞ」

「知ってる。あんたの犬を抱いてたから、終バスを見送った」

多田は行天を見た。行天は短くなった吸い殻を指で弾き飛ばし、三日月みたいにニッと笑った。

「変わったな、行天」

「そう? あんたほどじゃない」

「車で来てるから駅まで送る」

多田は先に立って軽トラックに戻った。あとをついてくる行天が、ジーンズにサラリーマンが着るようなコートなのはいいとして、素足で茶色の健康サンダルを履いていることには、とうに気づいていた。すごくいやな予感がする。しかし駅まで行けば、それでもう会うこともない相手だ。

腕に抱いたチワワから、ほのかなぬくもりが伝わってくる。なんにせよ、犬が見つかってよかった。多田は背後から聞こえる鼻歌を、極力気にしないよう努めた。

チワワの入ったケースを膝に抱え、行天は助手席に座った。

「なあ、この軽トラック、多田の? あんたなんの仕事してんの? なあ、なあ」

返答を得るまで、うるさく問いつづける気でいるらしい。多田は根負けした。ハンドルから片手を離し、作業着の尻ポケットに入っていた名刺入れを渡す。行天はなかから名刺を一枚取りだした。

表には「多田便利軒　多田啓介」と書かれ、住所と電話番号が裏に記載されている。行天は名刺をかざし、窓の外を流れる街灯の光で文字を読んだ。

「ラーメン屋？」

「ラーメン屋に見えるか」

多田は精神衛生上必要と判断し、窓も開けずに激しく煙草をふかした。行天が右手を差しだしてきたので、ラッキーストライクの箱をのせた。

「多田という名字は、商売には向かないんじゃないかな」

行天は車の天井に向けてゆっくりと煙を吐いた。「『便利屋さん、多田なんだからタダにしてよ』とか言われない？」

多田が冷酷にしなる鞭《むち》のごとき沈黙で応じても、行天は少しもこたえなかったらしい。好き勝手にしゃべりつづける。

「なんで『多田便利屋』じゃなくて『多田便利軒』にしたの？　語呂が悪いから？　『便利屋多田』だと、やっぱり『便利屋タダ』みたいだしね」

車は駅前通りに入るための交差点にさしかかっていた。二十分近く行天の饒舌を堪え忍んでいた多田は、ついに口を開いた。

「行天、頼みがある」

「なんなりと」

「駅に着くまで黙っててくれ」

「あんたの要望をかなえるために努力する。でもそのまえに、俺の頼みも聞いてほしいな」

「なんだ」

「今晩、事務所に泊めてくれ」

「断る」

「そう」

行天はもう一度、多田の名刺を裏表くまなく眺めた。そして、

「こう寒い夜は、小指がちぎれそうに痛んで困る」

と言った。

前方の信号が赤に変わり、多田はブレーキを踏んだ。停止した車内で聞こえる音は、チワワがかぼそく喉で鳴く声だけだった。行天は犬をなだめるようにケースを軽く叩き、備えつけの灰皿を引いて、多田からの三本目のもらい煙草をねじ消した。

軽トラックは駅前のロータリーをぐるりとまわり、まほろ駅南口に着いた。初詣帰りらしきカップルや、福袋を持った家族連れが、駅構内からあふれでていた。

行天はシートベルトをはずし、ドアを開けて歩道に降りると、抱えていたチワワ入りのケースを助手席に戻した。

「冗談だよ。小指はもうなんともない。痛くもないし、元通りに動く」

ドアが閉まっても、多田はしばらく動かなかった。行天は嘘をついた。灰皿を引いたとき、行天の小指がぎこちなくこわばっていたことを、多田は知っていた。かざした右手のなかで、小指だけがひときわ青白いことに、気づかぬわけにはいかなかった。

ダッシュボードに、多田の名刺入れが投げだされていた。多田はそれをポケットにしまおうと手をのばし、ふと助手席の赤いキャリーケースを見た。ケースのそばに、行天が抜き取った名刺が置き去りにされていた。

多田は車から降り、駅構内への階段を駆けあがった。ひとの波に逆らい、改札口へ走る。いない。券売機のあたりも見たが、そこにも行天の姿はなかった。

ホームから下りてきた人混みにまぎれているのかもしれない。再度改札に戻り、「行天！」と呼んでみた。

「はいよ」

声は背後からした。驚いて振り返ると、コートのポケットに両手をつっこんだ行天が、いつのまにか構内の柱にもたれて立っていた。裸足の足先で、健康サンダルがからかうように揺れた。

「おひとよしだねえ。まさかホントに追いかけてくるとは思わなかった」

試されたことに対する怒りは薄かった。まにあってよかったという安堵が胸に湧き、多田は大きく息を吐いた。

「今晩だけだぞ」

と、多田は言った。行天は率先して軽トラックのほうへ歩きながら、しれっと答えた。

「十分経ってもあんたが来なかったら、勝手に事務所に押しかけようと思ってた」

「名刺を車に忘れてったみたいだがな」

「わざとだよ。あんたこそ忘れてるんじゃない？　俺もまほろ生まれのまほろ育ちだよ。駅前の住所なんて、いっぺん見れば場所の見当ぐらいつく」

多田は自分の寝息があまりにも酒くさくて目を覚ました。ベッドに身を起こし、半分も開かない目で室内を見渡す。床に、塔がいっぱいある西洋の城のような塊ができていて、窓から入る日差しを柔らかく反射させていた。

なんだありゃ、と目を凝らし、塊の正体が空き瓶の山だとわかった。そのとたん、前夜の記憶が脳裏に再生した。

狭い事務所内を、行天はすみずみまで見てまわった。応接ソファのスプリングをたしかめ、間仕切りのカーテンをめくって、奥にある居住スペースを興味深そうに点検した。

「洗面所がないよ」

「コンロの横に流しがあるだろ」

「風呂は？」

「徒歩八分。駅向こうの松の湯」

「あの銭湯、まだつぶれてないんだ」

行天はキャリーケースからチワワを出し、犬がぬいぐるみをくわえて遊ぶのを、しゃがんでしばらく見物していた。

多田は鍋に水を張り、湯が沸くのを待つあいだに、流しで体を拭いた。台所の戸棚を開け、買い置きのレトルトパックを手に考える。

「行天、カレーとシチューとどっちがいい」

「どっちもいらない」

行天は立ちあがり、「着替えと歯ブラシ買ってくる」と部屋を出ていった。

たしかに、行天は手ぶらだった。しかも裸足に健康サンダルだ。帰省するにしても、軽装すぎる。尋常な格好ではないと、改めて多田は思った。

事務所のビルの並びに、コンビニがある。そこへ行ったのだろうと思っていたのだが、行天はなかなか帰ってこない。多田がレトルトのカレーを食べ終え歯を磨いているところへ、やっと戻ってきた。

行天はどうやら、駅前通りのはずれにある、終夜営業の大型ディスカウントショップまで行ったらしい。両手に黄色いビニール袋をさげていた。泊まるのに必要な日用品はほんの少しで、残りはすべて酒だった。ビニール袋から瓶をどんどん出し、「さあ飲もう」と行天は言った。

会話もなく、つまみもなしに、ひたすら酒を摂取した。フラスコからビーカーに液体を移すみたいに、行天は顔色も変えず一定のリズムで飲みつづけた。

それにつきあわされた多田は、自分がいつ眠りに落ちたのか覚えていなかった。まだ二日酔いにもなっていない。胃のなかにアルコール分がそのまま残っている。

ベッドから下りると、だれかに頭を揺さぶられているみたいだった。多田はうめきながらトイレで用を足し、カーテンをめくって応接スペースを覗いた。

行天はソファで心地よさそうに眠っていた。どこから出したのか、きっちりと毛布までかけている。膝から下は肘掛けからはみ出ていたが、幅の狭い座面で行儀よく仰向けの姿勢だ。腹のうえにはチワワがのっていた。

「あの毛布、もしやチワワの……」

動物の寝床に使っていた毛布をかける。その神経が多田には理解できなかった。

行天の腹から下りようにも下りられず、チワワは退屈していたらしい。多田の顔を見てしっぽを振った。

そうだ、チワワを返す日だった！

多田は一気に覚醒した。事務所の壁掛け時計は、すでに十一時四十五分を指している。

「行天、起きろ！」

ソファに向かって怒鳴った。毛布が蠕動《ぜんどう》し、チワワが小さな足で必死に踏ん張る。多田はそれを横目に、流しで顔を洗い、ひげを剃り、作業着に着替えた。犬のおもちゃやペットフードの残りなどを、急いで紙袋につめる。

「おはよう」

盛大な寝ぐせをつけた行天が、チワワを抱え、毛布をずるずる引きずりながら多田の後ろに立った。多田は振り向きざまにチワワを奪い取り、キャリーケースに入れた。

「悪いが、二十秒で支度して帰ってくれ。俺は出かける」

「どこへ」

「犬を返しにいく」

「多田の犬じゃなかったの」

「預かってたんだ」

「ふうん」

トランクスにシャツを引っかけた姿の行天は、トイレに入っていった。多田はいらいらしながら待った。

トイレから出た行天は、

「俺も一緒に行く」

と言い、顔を洗って服を着はじめた。どうして来るんだ。いいから帰れ。啞然とした多田の言葉をさえぎるように、行天は黒いコートを羽織り、

「さあ行こう」

と事務所のドアを開ける。やはり足もとは健康サンダルだが、今日は新品の靴下を履いていた。

多田は抗議を諦めた。とにかくチワワを返しにいくのが先だ。

十二時には絶対にまにあわない。

疾走する軽トラックのハンドルを操りながら、多田は携帯電話を行天に放った。キャリーケースを膝にのせ、助手席に陣取っていた行天は、多田に指示されるまま犬用品の入った紙袋を探っ

た。契約書を引っ張りだし、そこに書かれた佐瀬家の電話番号を押して、携帯を多田に戻す。

呼びだし音が十五回を数えたところで、多田は通話を切った。

行天がキャリーケースを持ちあげ、「あんたの飼い主、まだ帰ってきてないみたいよ」と、なかにいるチワワに報告した。

車はスピードを緩め、似たような規格の家々が並ぶ住宅地に入った。佐瀬家は、遊具のほとんどない小さな公園に面して建っていた。ガレージには家族向けのワンボックスカーと、子供用の自転車が停めてある。

多田はキャリーケースを持って車を降り、インターホンを鳴らした。行天は紙袋をさげ、少し離れたところで待っていた。

家のなかに、ひとの気配はないようだった。

「だめだな。やっぱり留守だ」

「いったん戻る？　事務所のほうに、遅れるって連絡が入るかもよ」

「携帯に転送されるから大丈夫だ」

公園で犬を遊ばせながら、多田は少し待ってみることにした。チワワに赤いリードをつけ、端を踏んづけてベンチに座る。行天も隣に座り、コートのポケットからマルボロのメンソールを出した。

「吸う？」

「あるからいい」

多田もなんとなく手持ちぶさたで、自分の煙草を吸った。

いい天気だった。空気は冷たく乾燥しているが、ひなたのベンチにいれば、寒さに震えるほどではない。最初はベンチのそばから離れようとしなかったチワワは、行天がサンダルを脱いだ足先で喉もとをくすぐると、いやがって走っていってしまった。リードがのび、いまは公園の植え込みのあたりで、しきりに地面のにおいを嗅いでいる。

「多田が便利屋になったのは意外だった」

行天はそう言い、吸い終わったマルボロを踏み消した。多田はそれを拾い、携帯灰皿に自分の吸い殻と一緒に回収した。行天が間を置かず二本目を吸いはじめたので、自分たちのあいだに携帯灰皿を置く。

「俺は、あんたは要領よく大学を出たあと、堅実な会社に入って、料理がうまい女とわりと早めに結婚して、娘には『おやじマジうぜえ』とか煙たがられながらもまあまあ幸せな家庭を築いて、奥さん子どもと孫四人に囲まれて死んで、遺産は建て替え時期の迫った郊外の家一軒、って感じの暮らしをするんじゃないかと思ってた」

行天は一息に、多田の架空の一生を物語った。多田は少し笑った。

「三分の一ぐらい合ってる」

「孫が四人いて、郊外に家があるの？」

「要領よく大学を出て、要領よく会社に入ったんだ。だが、俺が結婚した相手は、別れるまでずっと料理は下手なままだった。子どもはいない。孫もいないし持ち家もない」

「離婚したくなるほど料理がまずかったのか？」

多田はその質問には答えなかった。

「それだけしゃべれるのに、なんで高校のときは石みたいだったんだ」

「口を開けるのが面倒だったから」

行天は大まじめに言った。「でも結婚したら、しゃべらないと間がもたなかった。そのうちしゃべることに慣れた」

「ちょっと待て」

多田は驚いて、低体温動物じみた行天の横顔を見た。「結婚してるのか？」

「してた。子どももいるよ。たぶんいま二歳ぐらいで……女の子だったかな」

「……子どもの性別ぐらい、覚えててもバチは当たらないぞ」

「会ったことなくてさ」

行天はほがらかに言い、今度はちゃんと携帯灰皿で煙草を消した。多田は昨夜来、胸を占めている重大な懸念に、とうとう触れざるを得ないときがきたことを悟った。

「行天。おまえ、帰る場所がないんだろ」

「うん」

「仕事は」

「年末に辞めて、アパートも引き払った。貯めたお金は全部、奥さんだったひとに送っちゃったから、ほぼ一文無し」

行天はコートのポケットに右手をつっこみ、くしゃくしゃの札と小銭を出してみせた。多田はため息をついた。

「実家に行ったんなら、親からお年玉をもらえばよかったのに」

「そんな、あんた」

行天は「ひゃひゃひゃ」と、絞め殺される爬虫類《はちゅうるい》のような笑い声をあげた。「お年玉をもらう年でもないでしょう」

行天には皮肉が通じない。お年玉をもらう年じゃない人間は、おまえみたいにふらふらしていないもんだ、と多田は言いたかったが、言っても無駄だとわかっていたので我慢した。

「実家には、知らないひとが住んでた」

金を握った行天の右手のうち、小指だけがわずかに曲がりきらないままだった。行天は左手で右手の小指をさすっていたが、それはどうやら無意識の行動だったらしい。多田の視線に気づいて、ぎこちなく右手をポケットに戻した。

「さてどうしようと思ってたら、あんたに会ったわけ」

遅いね、と行天はベンチから立ちあがり、公園を出て佐瀬家のほうへ歩いていった。多田もチワワを抱きあげ、ケースを持ってあとにつづいた。

ひとの出入りがなかったことはわかっていたが、多田は念のため、もう一度インターホンを押してみた。行天はふらふらと家の横手にまわり、道路に面した出窓から、柵越しになかを覗きこんでいる。

「多田、ちょっと」

呼ばれて顔を向けると、行天は柵から上体を乗りだすようにして、出窓のカーテンの隙間に目を押しつけていた。

「おい、通報されたら……」

行天は声を荒げた多田からチワワを抱き取り、黙って窓を指した。多田はしぶしぶ柵に足を引っかけて室内を覗き、思わず「やられた」とつぶやいた。

リビングらしき部屋のなかには、家具がほとんど残っていなかったのだ。

多田はすぐに、隣家を訪ねた。「佐瀬さんのことでお話をうかがいたい」と言い、「犬を預かっている便利屋です」と名乗っても、その家の主婦は警戒して玄関を開けようとしなかった。インターホン越しになんとか、佐瀬家は大晦日の夜に挨拶もせず引っ越していったこと、連絡先はたぶんだれも知らないということを聞きだした。

「迷惑してたのよ。借金取りみたいなひとたちがしょっちゅううろうろして」

多田は礼を言い、佐瀬家のまえに戻った。停めたままだった軽トラックの荷台に寄りかかり、今後の対応を考える。

チワワを抱き、紙袋を腕にかけた行天が隣に立って、

「なにを悩んでんの」

と聞いてきた。

「犬をどうするかだよ。俺には飼う余裕がない。だが、新しい飼い主を探すにしても、佐瀬さん

が引き取りにくる可能性もまだあるから、下手に動けないしな」

「こんなちっちゃい犬」

行天はチワワの背を優しくなでた。「絞め殺してゴミの日に出してもばれないよ」

あまりにも穏やかな声だったので、多田はもう少しで「そうだな」と相槌を打つところだった。

「本気で言ってるのか？」

「もちろん」

行天は犬をなでつづけていた。氷の裂け目のような傷跡がある手で。

「依頼人も、あんたにそれを期待したんじゃないの」

たぶん、そのとおりだ。新しい飼い主を探してくれ、と依頼することもできたはずなのに、「佐瀬健太郎の妻」はそうしなかった。見栄が邪魔したのか、佐瀬夫人は「犬を飼えなくなった」とは言いたくなかったようだ。

一月四日までの預かり期間は、ただの時間稼ぎ。ペットホテルよりも安い預かり賃は、犬に対する手切れ金のようなもの。夜逃げが発覚したあとで、多田がチワワをどう扱おうが、どうぞご自由に、という意味に違いなかった。

多田はこういう事態に直面して、怒りを感じるほど理想に燃えてはいなかったが、むなしさを覚える程度には、自分の職業に誇りと愛着があった。

近所の子どもらしき数人が、こちらをちらちらと気にしながら公園に入っていくのを見て、多田は心を決めた。危険思想の持ち主である行天からチワワを取り返し、地面に下ろす。

リードを引いて公園に踏み入ると、ブランコで遊んでいた子どもたちが、やはり多田のほうを見る。正確に言うと、多田のつれているチワワのほうを、だ。多田は子どもたちに近づいた。

「ちょっと聞きたいんだけど、いいかな」

多田が声をかけると、子どもたちはブランコをこぐのをやめた。三人いて、全員が小学校中学年ぐらいの女の子だ。

「きみたちのなかで、佐瀬さんの娘さんを知ってる子はいる？」

多田はなるべく落ち着いた態度で、子どもたちの斜め前方に立ったが、リードを持つ手は冷や汗で湿っていた。ガレージにあった自転車から、佐瀬家に小学生ぐらいの子どもがいるはずだと見当をつけただけだったからだ。性別については賭けである。

「知ってる」

三人のなかで、一番活発そうな感じの子が答えた。「それ、ハナちゃんでしょ？」

多田は、佐瀬の娘がハナという名前なのかと思ったのだが、いつのまにか背後にしのびよっていた行天が、

「えぇー。こいつの名前、チワワじゃないんだ」

と言ったことで、ようやく犬の話かと気がついた。佐瀬健太郎の妻は、犬の名を呼ばなかった。依頼書には書いてあったのかもしれないが、「チワワ」と呼べばこと足りるので、多田は特に注意を払っていなかったのだ。

「ばかじゃん、おじさん。チワワなんて名前のわけないよ」

子どもたちは笑い、くわえ煙草の行天も、「そっか」と笑った。

女の子たちの警戒心が少し解けたことを察知し、多田はすかさず尋ねた。

「預かっていたハナちゃんを返しにきたんだけど、佐瀬さんの家は引っ越したそうなんだ。引っ越し先を知らない?」

多田の投げかけた言葉を小石がわりに、女の子たちはひとしきり、「えー、うそー」「マリちゃん引っ越しちゃったの?」と、仲間内で波紋を広げあった。やがて先ほどと同じ子が、

「ナミちゃんに聞けば?」

と言った。

「ナミちゃんって?」

「スガワラナミちゃん。マリちゃんとは塾も一緒で、仲いいから」

「この近所の塾?」

「うん。バス通りの、豆腐屋さんの二階のとこ」

「ありがとう」

多田は軽トラックに戻った。行天も当然のような顔をして、助手席に座る。

「おまえは抱くな。ケースに入れろ」

多田はそう言い、キャリーケースとチワワを行天に渡した。行天はおとなしく、言われたとおりにした。

住宅街からバス通りに出る。車を少し走らせると、すぐに豆腐屋があり、二階の窓ガラスに

「個人指導　香田進学塾」と書かれているのが見えた。多田は向かいのコンビニに車を停め、店のまえの公衆電話に置かれた電話帳で、まほろ市久生四丁目近辺に住む「スガワラ」さんの番号を調べた。該当する家はすぐにわかった。公衆電話からかける。

「もしもし、菅原さんのお宅ですか。わたくし、内田と申しまして、娘が香田進学塾で佐瀬マリちゃんと親しくさせていただいておりました。あいにく、わたくしどもは去年、信州のほうに引っ越したんですが、娘がぜひマリちゃんと会いたいと言うもんですから、冬休みを利用してこっちに遊びにきたんですよ。そうしたら、佐瀬さんも引っ越してしまったということで……。ええ、ええ、そうなんですよ。それで、菅原ナミさんなら、マリちゃんと仲がいいから引っ越し先を知ってるかもしれない、と娘が言うもので。はい、すみませんが娘さんに聞いてみていただけますか」

そばで聞いていた行天が声を出さずに笑ったので、足で追い払った。

「はい。あー、そうですか。ほかに連絡先を知っていそうな子をご存じないでしょうかねえ。あ、はいはい、三丁目のウツイシノブちゃん。ええ、娘からよくお名前は聞いてました」

多田は手早く電話帳をめくり、宇津井という名前が載っていることを確かめた。

「さっそく電話してみます。どうもありがとうございました」

もう十円玉がない。コンビニで両替するのももどかしく、百円を投じる。電話に出たのは、明らかに子どもの声だった。宇津井シノブ本人かもしれない。多田は迷った末に、「シノブちゃん？」と言った。

「……そうですけど」

「便利屋の多田といいます」

受話器の向こうは沈黙している。母親らしき声が、「どなた？」と娘に問いかけるのが遠く聞こえた。

「佐瀬マリちゃんの引っ越し先を知りませんか？」

「知りません」

シノブは早口に言い、電話を切ろうとした。これは当たりだ、と思い、多田は急いで事情を説明した。

「待って、俺は借金取りじゃない。ハナっていう犬を、マリちゃんに返したいだけなんだ。これからすぐ、きみの家のまえに行く。ハナをつれていく。きみは窓から、俺が本当にハナをつれているかどうかたしかめて。いやだったり、怖かったりしたら出てこなくてもいい。五分待ってもきみが出てこなかったら、諦めて帰るから。いいね？」

宇津井家の庭では、南天が赤い実をつけていた。チワワを抱いて家のまえの道路に立った多田は、遠い日に迸《ほとばし》った血痕のことを思った。

一度肉体から切り離されたものを、また縫いあわせて生きるとはどういう気分だろう。どれだけ熱源にかざしても、なお温度の低い部位を抱えて生きるとは。

宇津井シノブは、三分後に家から出てきた。四年生だというシノブは、美しく聡明そうだった。シノブと同年代の男たちは、きっとまだ、その魅力に気づけていない。多田は、なつかしい女の顔を連想した。あのひともきっと、子どものころはこういう感じだったはずだ。心ばかりが年を取り、自分の体も、周囲の反応も、それに追いつかずに苛立っている感じ。

シノブは警戒心と好奇心がせめぎあう目で、多田と行天に近づいた。「ハナ」と、多田の腕のなかにいるチワワにささやき、指先でそっと耳のあいだをなでる。それからシノブは、多田にメモを差しだした。住所は小田原だった。予想に反して、それほど遠くない。

「助かるよ、ありがとう」

と多田は言った。

「マリに会いにいくの？」

「なにか伝えることはある？」

「いい。手紙を書くから」

シノブはまたチワワをなでた。「ハナはどうなるの？」

「マリちゃんは、ハナをかわいがっていた？」

「すごくね」

「じゃあ、ハナをどうしたいか、マリちゃんに聞いてみるよ」

シノブはうなずき、自分の家に入っていった。

帰れと言いたくても、行天には帰るところがない。そういう相手に、どんな言葉を告げればいいんだ。俺につきまとうな、ではストーカーに悩む女みたいだし、さっさと仕事でも探したらどうだ、では母親みたいだ。

多田は困り、困っているうちに軽トラックは小田原厚木道路に入った。行天は、三百年前から崇められている鎮守の神さまのような顔をして、平然と助手席にいる。日差しはすでにオレンジ色だ。このままでは、今夜もまた事務所に居座られてしまう。

「どこか泊まるあてはないのか」

多田はおそるおそる尋ねた。「ついでだから、どこでも送ってやる」

「じゃあクアラルンプール」

「……成田までいいか」

「冗談だよ」

「あてはないんだな？　一個も？」

「うん」

軽トラックのなかが、棺桶みたいに重苦しい沈黙で満ちた。多田はウィンカーを点滅させてアクセルを踏み、慇懃《いんぎん》無礼《ぶれい》に追い越しを終えた。

「はっきり言って迷惑だ」

「このチワワさあ」

行天は腿を上下させて、赤いケースを揺らした。「どうする気？　そのへんの路肩に捨てとく？」

「佐瀬マリの意向を聞くんだよ。そのために小田原に向かってんだろうが」

「そこまでする必要あるかな。契約の範疇《はんちゅう》を越えてるんじゃないの」

「親の勝手で犬がいなくなったら、子どもは傷つく」

行天は笑った。

「あんた、やっぱり変わったね」

「変わる変わらないを云々するほど、親しくなかっただろ」

「うーん」

と、行天はうなった。「三年間、同じ教室にいて、あんたは俺のことをどう思ってた？」

「まわりの人間のことなんてどうでもいいと思ってる、ひとづきあいがきらいな変人」

「当たってる」

いい占い師を見つけたと喜ぶ政治家みたいに、行天は重々しくも嬉しそうにうなずいた。「その人間の本質って、たいがい第一印象どおりのものでしょう。親しくなったら、そのぶん相手をよく知ることができる、というわけでもない。ひとは、言葉や態度でいくらでも自分を装う生き物だからね」

ずいぶんさびしい意見だ、と多田は思った。

「でもいまの俺は、おまえが思ってた第一印象とは、根本から違っている、というわけか」

「うん。要領が悪くなった」

それがいいことなのか悪いことなのか、多田には判断がつかなかった。もし行天の言うとおりだとして、じゃあ俺はいつから要領が悪くなったんだろう。変わらずにいれば、傷つけたり失ったりすることもせずにすんだのだろうか。そんなことを考えた。

小田原東ＩＣで有料道路を下り、酒匂川《さかわ》を越えてすぐのところで、ガソリンスタンドに入った。メモに書かれた住所への行きかたを、ガソリンスタンドの店員に尋ねる。多田はまほろ市の地図しか車に積んでいない。ふだんの仕事なら、それで充分なのだ。アルバイトらしき店員は、「この近くですよ」と、すぐに周辺地図を持ってきて教えてくれた。

大雄山線というローカル線と、私鉄の箱根急行線に挟まれて、細い三角州状の住宅地はあった。マンションと古いアパートの電灯が、暗い畑の向こうに青白く延々と連なっている。踏みこんだら二度と帰れぬ、燃える夜の森のような光景だった。

これはもしかして、曽根田のばあちゃんが言っていた旅なのか？

ふと浮かんだ思いつきを、多田は急いで打ち消した。旅はいつか終わるから旅なのだ。その道連れが帰る場所のない行天では、あまりにも不吉だ。

佐瀬家が引っ越した先は、木造二階建てアパートの、一階の真ん中の部屋だった。それまで住んでいたまほろ市の家とは、大きさも古さもまるで違うが、しかし一家はもう、新たな生活をはじめたようだ。格子のついた小さな台所の窓から、水音と明かりがこぼれていた。

あたたかく守られたあの部屋から、どうやって佐瀬マリを誘いだし、チワワの今後の処遇について意見を聞けばいいか。いきなり作業着にジャンパーの男が訪ねていっても、きっとマリはこわがるだけだ。マリの母親は多田の顔を知っているから警戒するだろうし、第一、こんなに暗くなってからの娘の外出を許すはずがない。

行天の不適切発言に闘志を煽られ、ついつい後先を考えずに行動してしまったが、せめて日のあるうちに来られるように、出直せばよかった。アパートが見える畑の脇に軽トラックを停め、多田はどうすべきか考えた。

助手席の行天は車の窓を開け、また煙草を吸いだした。金もないくせに、行天はここへ来るまでのあいだに一箱空け、いまは新しい箱の封を切ったのだ。こいつ、ちょっとニコチン中毒ぎみだな、と多田は思った。

「あのアパートでしょ。行かないの？」

行天は吸い差しで前方の家影を示した。「俺がここから呼んであげようか。マリちゃーん、チワワつれてきたよーって」

「やめてくれ」

多田は、自分がひどく疲労していることに気づいた。朝方まで酒を飲むのにつきあわされ、犬を抱えて半日走りまわった。言葉を覚えたての幼児のようによくしゃべる、しかし決して腹の底を見せようとしない男と、そろそろまる一日一緒にいたことになる。疲れて当然だった。

黙りこんだ多田を気にするふうでもなく、行天は「靴貸して」と言った。

「どうして」

「いいから、早く」

行天は煙草を消し、運転席にいる多田の足もとに手をつっこんだ。勢いに押された多田がスニーカーを脱ぐと、行天はそれを履き、今度は紙袋の中身を助手席の床にぶちまけた。

「なにやってる」

「俺がマリちゃんを家から呼びだすよ」

「どうやって」

「まあ見てな」

行天はケースからチワワをつかみだして紙袋に入れ、さっさと車を降りてアパートのほうへ歩いていってしまった。呆気にとられていた多田は、あわてて行天のあとを追おうとした。だが、靴がない。犬用品の散らばった助手席の床を探り、行天の健康サンダルをつっかけて車から飛びでた。

アパートまで走った多田が、「行天、やめろ」と言いかけたとき、行天はすでに佐瀬家のドアを叩いているところだった。なかから誰何《すいか》されたのだろう。行天はドアに向かって、

「冬休み明けから、マリちゃんの担任になることが決まった岡崎です。近くまで来たので、ご挨拶に寄りました」

と、すらすら言った。勝手なことばかりしやがってと、多田は頭に血がのぼるのを感じたが、もうどうしようもない。ドアの開く気配がしたので、ブロック塀の陰に身を潜めて聞き耳を立てた。

事務所に犬を預けていった女の声がする。佐瀬健太郎の妻にして、佐瀬マリの母親だ。

「まあ、第三小の先生ですか。わざわざすみません。どうぞ」

「いえ、ここでけっこうです。マリちゃんはいらっしゃいますか」

「マリ、今度通う学校の先生がおみえになったわ。ご挨拶して」という声がし、「こんばんは、佐瀬さん。岡崎といいます。新学期からよろしく」と、行天がはきはきと言うのが聞こえた。

少しのあいだ沈黙があった。ばれたのか。多田は一瞬目をつぶり、意を決してブロック塀から顔をのぞかせ、様子をうかがった。

玄関先に出てきたマリのまえで、行天が紙袋の口をちょっと広げてなかを見せていた。驚いてなにか言おうとしたマリに向かって、行天は優雅に自分の唇のまえに人差し指を立てて微笑んだ。マリは黙ったままうなずく。

「佐瀬さん。このアパートのまえは、朝はけっこう車が通るんだよ。危ないから、気をつけたほうがいい角をちょっと教えておくね」

母親は、台所でお茶の支度でもしているのだろう。行天はわざと大きめの声で言い、

「アパートの塀のところに出るだけですから」

と、マリを家からおびきだすことに見事に成功した。

紙袋の中身が効いたようだ。マリはおとなしく行天に従い、アパートの敷地から道へ出た。

「はい、一名様ご案内」

行天は、塀を背に立っていた多田のほうへ、マリを押しやった。多田としては、行天に言ってやりたい文句が経典ほどの長さで胸にとぐろを巻いていたが、またもやぐっと我慢した。男二人に挟まれたマリが、巣穴にもぐりこみたがるウサギのように怯えていたからだ。

多田はしゃがんで、マリと目線の位置を合わせた。

「びっくりさせてごめん。宇津井シノブちゃんから、ここの住所を聞いたんだ」

マリは友だちの名前を聞いて少し安心したのか、かすれた声で「ハナちゃんは？」と言った。

行天が紙袋からチワワを出し、マリに手渡した。マリが抱くとチワワは、多田がこれまで見たことのなかった速度でしっぽを振った。ほとんど回転に近い動きだった。

「マリちゃんは、ハナのことをお母さんからなんて聞いてる？」

多田の問いかけに、マリは静かに答えた。

「引っ越し先では飼えないから、ハナちゃんはひとにあげたって。またいつかべつの犬を買ってあげるって言われたけど、あたしはハナちゃんじゃないとやだ」

「あんたの家は、当分は犬なんか飼えないよ」

それまで黙っていた行天が、マルボロの煙と一緒に吐きだした。多田が「やめろ」と低くたしなめても、かまわずにつづける。

「あんたの母親は、嘘をついたんだよマリちゃん。このおじさんにチワワを押しつけて逃げたんだ」

「行天」

多田は覚えの悪い犬をしつけるように、厳しい声で告げた。「あっち行ってろ」

行天は煙草をふかしながら、アパートのまえから少し離れた。マリは声を出さずに泣いていた。

多田は、彼女の頬につたう涙をぬぐおうとしてやめた。

「あいつが言ったことは気にしなくていい」

と、多田は精一杯優しく響くように言った。「俺は、きみのお母さんからハナを預かった。かわいがってくれる飼い主を探してくださいって頼まれたんだ。だけど、ハナを飼っていたのは、お母さんじゃなくてきみだろう？　きみがどう思っているのかを、俺は知りたい」

マリはそっと、チワワの毛並みに顔をうずめた。

「きみがハナを飼いたかったら、俺からお母さんに頼んでみる。小さな犬だし、アパートでもこっそり飼えるかもしれない」

行天が、なにか言いたげに多田を見た。多田も、自分が無茶なことを言っているとわかっていた。佐瀬家には、たぶん犬を飼う余裕などないだろう。それでも、マリとチワワのためになんとかしたかった。

しかしマリは、多田が考えるよりもずっと大人だったようだ。抱いていたチワワを、思い切るように多田の胸元に押しつけた。

「ハナちゃんを飼ってくれる、優しいひとを探して」

「それでいいの？」

と聞くと、マリははっきりとうなずいた。

「わかった。じゃあ、まほろ市に来ることがあったら電話して」

多田は、ジャンパーのポケットから出した名刺をマリに渡した。「それまでには、ハナの新しい飼い主を探しておく。そこへマリちゃんを案内するよ」

「ありがとう」

とマリは言った。アパートのドアが開き、マリの母親が心配そうに、

「マリ、どこにいるの？　先生は？」

と呼ぶ声がした。多田はチワワを抱いて立ちあがった。

「先生はもう帰っちゃった」

と、マリは塀の陰から母親に言い、チワワに向かって小さく「バイバイ」と言った。

マリがアパートの通路を駆けていき、母親と一緒に部屋に入ってドアを閉めるのを、多田はブロック塀にもたれて聞いていた。それから軽トラックに戻った。チワワはずっと、小さく震えつづけていた。すべてを受けいれ、なお生きるために体内機関を燃焼させる、鼓動に連動した震えなのだと、多田ははじめて気がついた。

行天は軽トラックの運転席側のドアのまえで、多田を待っていた。

「靴返せ」

と多田が言うと、

「キー貸して」

と行天は右手を出した。「帰りは俺が運転する」

「免許持ってんのか」

「うん」

行天はコートの内ポケットから出した運転免許証を、印籠のように多田の面前に掲げた。「ゴールド」

多田は抵抗する気力も失せて、健康サンダルのまま助手席に座った。腹が減り、眠かった。今日の仕事はこれで終わりだ。事務所までたどりつけるなら、もうなんでもよかった。

運転席でシートの位置をいじっていた行天は、ようやく納得がいったのか、乗り慣れない宇宙船を操縦するような風情でキーをまわし、サイドブレーキを下げた。

「おい」

多田は不安になった。「おまえ、本当にゴールドか？」

「うーん。運転するの何年ぶりかなあ」

「ちょっと待て」

と多田が言うのと同時に、軽トラックはものすごくゆっくりと、道幅いっぱいを使って方向転換した。

「さあ帰ろう」

と行天は言った。多田はすべてを諦めた。どこへ、と問うのもばからしい。

まほろ市へ。

地元密着型の便利屋を営む多田と、急に転がりこんできた謎だらけの行天と、飼い主募集中のチワワには、ほかに帰れる場所もない。

生まれ育った町。東京郊外にある、三十万人が暮らすまほろ市のほかには。

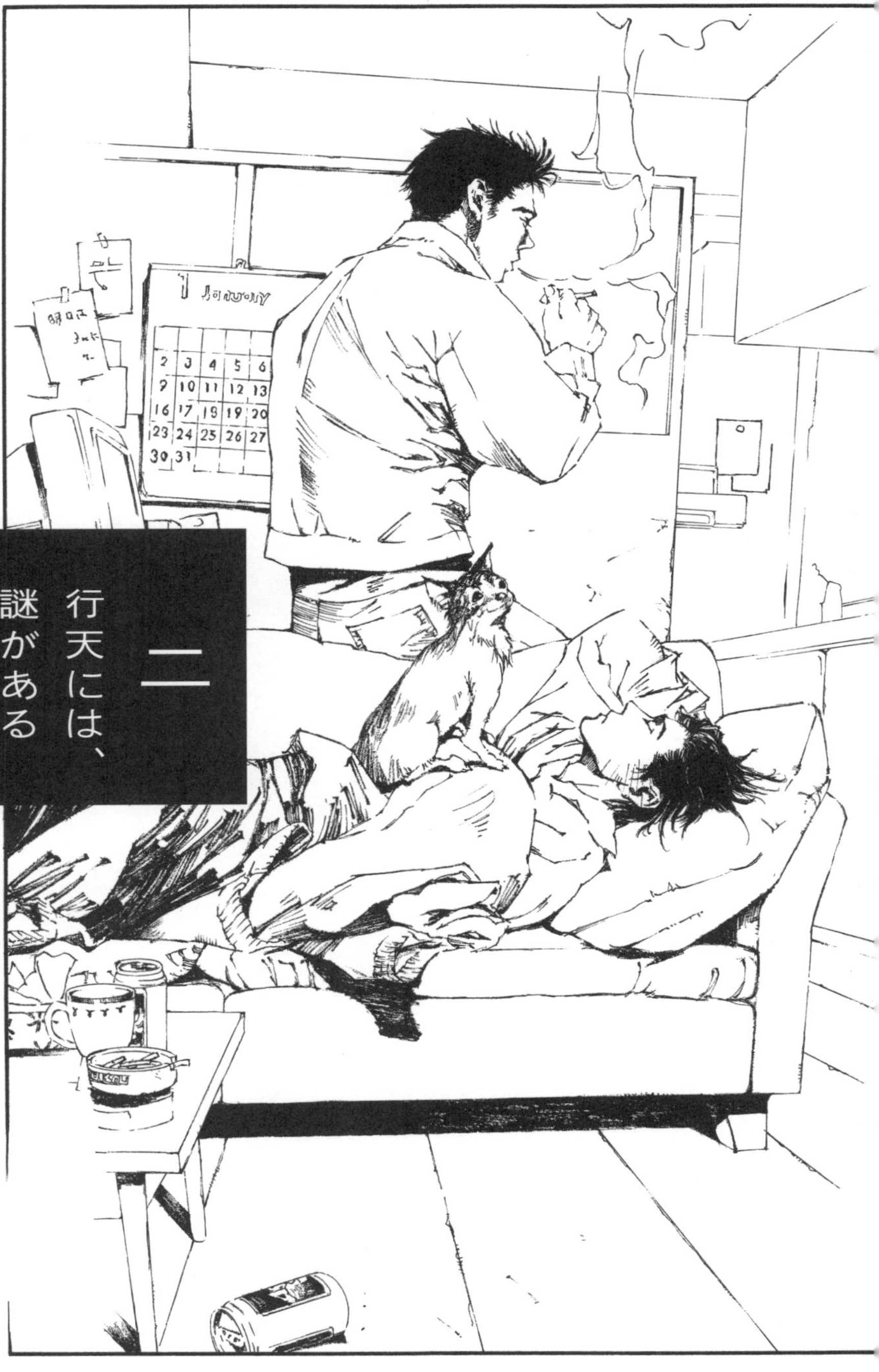

二

行天には、謎がある

二　行天には、謎がある

まほろ市民はどっちつかずだ。

まほろ市は東京の南西部に、神奈川へ突きだすような形で存在する。東京の区部から遊びにきた友人は、まほろ市に都知事選のポスターが貼ってあるのを見て、「まほろって東京だったのか！」と驚く。地方に住む祖母は、何度言い聞かせても、「神奈川県まほろ市中町一丁目23　多田啓介様」という宛名で手紙を送ってくる。

まほろ市の縁をなぞるように、国道16号とＪＲ八王子線が走っている。私鉄箱根急行線は、まほろ市を縦断して都心部へとのびている。まほろ市民は、これらを「ヤンキー輸送路」と呼ぶ。

まほろの夜は、ヤンキーであふれる。

東京と神奈川の周縁部に住むヤンキーたちは、「東京に遊びに行くべ」と言って、16号を盗んだバイクで疾走し、あるいは、八王子線や箱根急行略してハコキューに大挙して乗りこみ、一路まほろを目指す。まほろ市民は、「16号は六本木につながっている。ハコキューは下北沢を通る。

まほろで妥協しないで、もうちょっと先まで行ってくれればいいものを」と思っている。

多田はたまに、アメリカとの国境付近に住むメキシコ人に思いを馳せる。そして意味もなく、「ハラペーニョ！　サルサ！」などとつぶやいてみる。つぶやくたびに、事務所のソファに寝転がった行天が、「ひゃひゃひゃ」と笑う。

「わけわかんないね、あんた」

と言って笑い、くわえ煙草からもくもくと煙を天井に吹きあげる。

多田便利軒は、ここ一週間ほど暇である。

曽根田のばあちゃんはどうしてるかな、と多田は思う。こういうときにかぎって、見舞いに行けという依頼もない。

時間に余裕があるときにこそ、自分が働く地域について、深く学んでおくべきだ。それがまた、次の仕事につながる。

なにもすることがないから、手近にあった地図を広げてみただけなのだが、多田はもっともらしい理由をつけて、再びまほろ市についての考察にふける。

おおげさに言えば、まほろ市は国境地帯だ。まほろ市民は、二つの国に心を引き裂かれた人々なのだ。

外部からの侵入者に苛立たされ、しかし、中心を目指すものの渇望もよく理解できる。まほろ市民なら、だれしも一度は経験したことのある感情だ。

それで、まほろ市民がどうしたかというと、自閉した。外圧にも内圧にも乱されない心を希求し、結局、まほろ市内で自給自足できる環境を築いて落ち着いた。

まほろ市は、東京都南西部最大の住宅街であり、歓楽街であり、電気街であり、書店街であり、学生街だ。スーパーもデパートも商店街も映画館も、なんでもある。福祉と介護制度が充実している。

つまり、ゆりかごから墓場まで、まほろ市内だけですむようになっている。

まほろ市民として生まれたものは、なかなかまほろ市から出ていかない。一度出ていったものも、また戻ってくる割合が高い。多田や、行天のように。

外部からの異物を受けいれながら、閉ざされつづける楽園。文化と人間が流れつく最果ての場所。その泥っこい磁場にとらわれたら、二度と逃れられない。

それが、まほろ市だ。


まほろ市は海から遠いが、山間部とは言えない。どっちつかずだ。そのためなのか、天気予報はたいていはずれる。

テレビのニュースで、中継映像が流れた。気象予報士が傘をさして道に立ち、「今日の東京は、みぞれが降りつづける一日となりました。ここ、銀座も、いつもより人通りも少なく、春のみぞれに、みなさん帰宅の足を速めています」と言った。

多田はテレビを消し、地図を畳んで窓の外を見た。昼前から降りだした雪で、家々の屋根も道路も白く埋まっている。とても静かだ。

「ここも一応、東京なんだがな」

このごろ、ひとりごとが増えた。ひとりごとのつもりで発した言葉に、言葉を返してくるものがいるからだ。

行天はもう二カ月以上、多田のところに居座っている。

なんとなく、こうなるだろうとわかっていたし、一緒に暮らして特に邪魔でもなかったので、多田は行天を放っておいた。

多田に仕事の依頼が入ると、行天もついてくる。網戸の張り替えをしたり、庭掃除をしたり、ガレージに電灯を設置したりする多田のそばで、行天はボーッとしている。たまに、次に張り替える網戸をはずして運んできたり、ちりとりを準備して隣に控えていたり、ガレージの配線をいじって感電したりする。たいして役に立たない。それでも、仕事のときには律儀についてくる。

多田は行天の働きに応じて、週払いで給料を出すことにした。多田がはじめて白い封筒を差しだしたとき、行天は「いらない」と言った。

「ここに住まわせてもらってるし、食費や光熱費だって……」

「そのぶんは天引きしてある」

行天は封筒をそっと覗き、

「うわあ」

と言った。「小学生の小遣いか?」

「いらないならいい」

多田が封筒を取り返そうとすると、行天はそれを素早く自分のポケットに押しこんだ。

そのうち行天は、健康サンダルではなく、白地に赤い線の入ったスニーカーを履くようになった。金を貯めて買ったらしい。健康サンダルは、事務所のソファの下に、きちんとそろえて置かれていた。その横には、どこから探しだしてきたのか小さな菓子の缶があり、振ると小銭が入っているらしき音がした。多田は掃除をしていてそれらを発見し、犬みたいだなと思った。宝物を大事に隠しておく、犬みたいだ。

犬といえば、チワワもまた、多田のところに住みついている。

チワワをかわいがっていた少女のことを思うと、新しい飼い主を吟味する目も厳しくなる。

赤ん坊を育てることで手一杯の若い母親。破壊の魔王のような、暴れ盛りの子どもが三人いる家。ペットよりも先に死ぬ確率が高い老夫婦。仕事でさまざまな家を訪れるが、多田がチワワの話を切りだしたくなる相手はいなかった。

困った多田は、チワワの引き取り手を探すよう、行天に言いつけた。五日前のことだ。チワワはいまや、行天によりなついていた。行天が、チワワを日に二回、散歩させたからだ。チワワのことを熟知した行天のほうが、ふさわしい引き取り手を見極められるだろう、と多田は考えたのだ。

もちろん、その考えは誤りだった。

行天は面倒くさそうに、「なんで俺が」と言った。

「あんたが探せば？　どうせ暇なんだから」

「暇じゃない。仕事の切れ間なだけだ」

と、多田は反論した。「自営業には、そういうときもある。俺はこのあいだに英気を養っておく。いいからおまえは、チワワの飼い主候補を探せ」

行天はぶつぶつ言いながら、事務所から出ていった。多田は一人でのんびりと、チワワを相手にボールで遊んだ。

一時間ほど経つと、事務所の電話が鳴った。仕事の依頼かと勇んで受話器を取ったら、押し殺した笑い声が聞こえる。いたずら電話だ。どこのガキだ、と多田は憮然《ぶぜん》として受話器を叩きつけた。

それから数回、たてつづけに電話があった。ほとんどが無言電話だったが、なかに一件だけ、チワワが出てくるCMの歌を歌うものがいた。若い男の声で、歌いながらこちらの反応をうかがっている。まわりにも数人がいるらしく、雑踏の気配と駅の案内アナウンスをバックに、歌う男を囃《はや》したてるのが伝わってきた。

多田はようやく、事態を把握した。

事務所から飛びだし、駅に向かって走る。行天は案の定、人々の行き交う、駅前の南口ロータリーに立っていた。コートにマフラーという防寒対策もばっちりの姿で、廃材の先に段ボールの切れっ端をくっつけた、プラカードのようなものを掲げている。

段ボールにはマジックで、「チワワあげます」の文字とともに、事務所の電話番号がでかでかと書き殴ってあった。

行天の隣には、個室ビデオの看板を持った中年の男が立っていた。おかしな組み合わせに、道行く人々がちらちらと視線を投げかけるが、行天はまるで動じていない。

中年の男は、看板持ちの仕事に慣れているらしい。看板の持ち手部分には、灰皿がわりのペットボトルが針金でくくりつけられていた。行天は吸い終わった煙草を、中年男のペットボトルに入れさせてもらったりしている。

多田はできることなら、他人のふりをしたかった。だがこのままでは、事務所にいたずら電話が殺到しつづけてしまう。現にそのときも、「なに、あの看板。かけてみよっか」などと笑いながら、多田の脇を男子高校生たちが通りすぎていったのだ。

多田はうつむきがちに素早くロータリーを横切り、行天のまえに立った。近くで見ると、いつもの黒いコートを着た行天が首に巻いているのは、マフラーではなく多田のジャージのズボンだった。たしかに、このごろまた寒い。冬が戻ってきたみたいに冷えこむ。しかしだからといって、なぜ俺のジャージを勝手にマフラーとして使う？

多田は、苛立ちも度を越すと脱力感に変わるのだとはじめて知った。

「行天」

静かに呼びかけると、新品のスニーカーに視線を落としていた行天が顔を上げた。

「どうしたの？　もしかして、チワワを飼いたいってひとから、もう電話があった？」

行天は嬉しそうに尋ねてくる。

「電話ならあった。いっぱいな」

多田は低く答え、行天の腕を引っ張って事務所に戻った。多田に引きずられながら行天は、借りていたらしい百円ライターを看板持ちの男に投げ返した。男は事情を察したようで、多田のすることには口出しせず、連行されていく行天を見送っていた。

「あのおっさんが、看板持ちのコツを親切に教えてくれたんだ」

誇らしげに報告する行天に、多田はしばらく事務所で電話番をするよう命じたのだった。

行天との共同生活は、結局のところ、多田の諦念のうえに成り立つものだった。少なくとも、多田はそう思っている。行天にはまたべつの言い分があるようで、いたずら電話の相手をさせられたあとは、しばらく不機嫌だった。

多田が、

「引き取り手を探すにしても、もうちょっとほかにやりようがあるだろ」

と言っても、行天は納得しない。

「やりようって、たとえばどんな」

「まずは信頼のおける知りあいにあたってみるとか、犬の写真入りのチラシを貼るとか、いろいろだよ」

「だったら、あんたがやればいい」

行天は片頬を軽くひきつらせた。笑ったのだと気づくまでに、少し時間が必要なほど陰《いん》にこもった表情だった。

「だいたい、この犬はあんたのものだ。もてあましてるなら、さっさと捨てたら。そうしたとしても、だれも文句は言わないよ」

二カ月暮らしてわかったのだが、会話のスイッチボタンが入らないかぎり、行天は基本的に穏やかで静かな生き物だ。なにを考えているのかわからない表情のまま、放っておけばいつまででも一人で過ごす。たぶん、なにも考えていないのだろう。

だから多田は、行天の尖った反応をめずらしいと感じた。なにが行天の癇《かん》にさわったのか考えてみて、知りあいなんていそうもない行天に、無理な注文をつけたことだろうと結論づけた。

だれかの内心の動きを推測してみるのは、ひさしぶりのことだった。他人と一緒に生活することの、わずらわしさと面映ゆいようなわずかな喜びを思い出した。

「悪かった」

と、多田は無神経な己れを詫びた。「嫌味のつもりじゃなかったんだ。俺も知りあいは少ない」

行天は、道でひからびたミミズを見たときのような目を、多田に向けた。あまり感情のこもっていない、しかし愚かさを哀れんでいることだけは伝わってくる目だ。

「あんた、最初はよくても、じきに女に飽きられるタイプでしょ」

「だれだって、少なからずそういうもんだろう」

多田は心に芽生えた動揺を悟られないよう、努めて平坦な声を出した。「……どうしてそう思う」

「トンチンカンな理由で謝るから」

と、行天はせせら笑った。「黙っていれば、相手は自分にとって都合のいい理由を、勝手に想像してくれるのにさ」

「女性の心理を、よくご存じで」

多田は、今度ははっきりと意図して嫌味を言った。当然、行天には通じなかったようで、

「女を知ってるわけじゃない。関係がうまくいかないときの、人間の心理をよく知ってるんだ」

と、真剣な説明で返してきた。「俺はいつもひとを苛立たせるけど、たいてい沈黙でうまく乗り切ってきたよ」

もしや自慢か？　と多田が気づいたのは、少し経ってからのことだった。気づいて、「なんでおまえに、人間関係の機微についてアドバイスされなきゃならねえんだ」と猛然と腹が立った。そのときにはもう行天は、チワワを胸元にのせてソファで眠っていた。あいかわらず身じろぎもせず、倒れた石地蔵のような格好だ。

一人で便利屋をはじめてから、多田にとって会話といえば、仕事においての必要事項を客に伝達することだった。だが、整えた言葉がもたらす平穏と明快さは、行天の登場によってぶちこわしになった。

会話とは疲れるものだったなと、久々に思い知らされた気分がする。相手が行天だと、疲れも倍増だ。針が飛びまくる傷だらけのレコードに相槌を打つみたいで、多田の会話の回転数までおかしくなってくる。

多田はやり場のない憤りを抱えつつ、深夜の事務所で、チワワの飼い主を募るチラシを作成したのだった。

雪が舞いつづけている。

チラシの効果はまだ表れず、仕事の依頼も入らず、事務所の電話は頑固なサイみたいに沈黙したままだ。電話線が外れているのではないかと、何度目かの確認をしてから、多田は行天とチワワを探しにいくことにした。

雪が積もりだすと、行天はいそいそとチワワにリードをつけた。そして、ふだんよりもずいぶん早い時間に、午後の散歩に出かけていったきりだ。外はすっかり暗くなっている。

行天はともかく、体の小さいチワワを、雪のなかに何時間もつれだしたままなのはまずい気がする。

行天とチワワの散歩コースを、多田は知らない。事務所を出て、あてもなく通りをぶらついた。

まほろ駅前は、四つの区画に分けることができる。南北に走る八王子線と、東西に走るハコキューの線路が、駅を中心に直角に交わっているからだ。

多田便利軒があるのは、南東の区画だった。デパートや商店街のある、一番繁華な場所だ。「南口ロータリー」と呼ばれる駅前広場には、いつもひとがあふれている。

南口ロータリーを抜けた多田は、八王子線のまほろ駅をまえに、しばし迷った。八王子線の線路を越えれば、そこは「駅裏」と呼ばれる南西の区画だ。昔は青線地帯だった歓楽街で、未だに昼間から立ちんぼがいる。客引きをする女たちの背後には、あやしげな古い木造の平屋がひしめきあって、その向こうはすぐ川だ。対岸はもう神奈川県。

そこを国道16号線が走っている。16号沿いには、米軍基地が点在する。米兵のために、まほろの駅裏は戦争直後から歓楽街として発達したのだと言われるが、詳しいことは多田も知らない。どういう協定が結ばれているのか、警察もあまり介入しないような、時代から取り残された区画だった。

まほろの住民は、特別な目的でもないかぎり、滅多なことでは駅裏に足を踏み入れない。特別な目的とは、もちろん女を買うことだ。まほろで生まれ育った男は、かなりの割合で、駅裏に童貞を捨ててきたはずだ。高校時代、授業をさぼって駅裏に通っていたクラスメートを、多田は何人も知っている。

しかし行天はどうだろうか。

変人の称号をほしいままにしていた高校生の行天が、実は駅裏で熱心に女を抱いていた、という想像は、どうもしにくい。大人になった行天が、実はチワワ同伴で女を抱くような変態だった、という光景とは、絶対に直面したくない。

多田は駅裏を見にいくことはせず、ハコキューまほろ駅のほうへ向かうことにした。

北西にあたる区画には、小さな団地と川しかない。団地に住むもの以外には、なじみの薄い場所だ。北東の区画、ハコキュー北口には、銭湯「松の湯」があるさびれた商店街と、銀行や塾の入ったビルが並ぶ。

駅前の人出は、いつもよりもずっと少なかった。南口ロータリーでは、踏まれてすべりやすくなっていた雪も、北口に向かうにつれて、だれも足跡をつけていない柔らかなものに変わった。

行天とチワワがいるとしたら、きっと北口付近だ、と多田は確信した。

雪はいつのまにか降りやんでいた。

吐く息が白く、薄闇に漂う。北口前の狭い道路は渋滞し、車のテールランプが雪ににじんでいる。

積もった雪にはしゃぎながら歩くカップル。買い物袋を両手にさげ、地面だけを見て慎重に進む中年女性。駅に向かう人々とたまにすれ違いながら、多田は冷たい空気のなかをゆっくりと歩いた。

北口の時計広場で、行天の姿を見つけた。決められた時間が来ると、音楽とともに人形が踊りでる、狂気じみた大時計。それを背後にして、行天はぽつんとベンチに座っていた。

行天、なにしてる。声をかけようとして、多田はためらった。行天はなにをするでもなく、ただぼんやりと、車の列を眺めているのだった。

多田はひとまず、広場の外で煙草を吸いながら、行天を観察することにした。ジャンパーのポケットから、ラッキーストライクを取りだす。行天が買った煙草だった。多田が給料を渡すようになってから、行天はたまにこっそりと、多田のぶんの煙草を買った。

買い置きした煙草は、台所の棚に入れてある。棚を開けて、切れたはずの煙草がまだ残っているのを見たとき、多田は最初、自分が勘違いしたのだろうと思った。そういうことが何回かあって、多田も気づいた。行天がひそかに煙草を買い足していることに。

犬のように小金を貯めこみ、鶴のように恩返しする男。

行天の行動は、多田からすると謎に満ちていた。金を受け取るのがそんなに心苦しいなら、さっさと事務所から出ていってくれればいいものを。そのほうが多田もありがたい。だが行天には、どうもいまのところ、そのつもりはないようだった。

行くところがないというのは、本当らしい。

多田は、雪のなかで何時間も過ごしたがる行天に、少しの哀れみを感じた。同時に、哀れみと軽蔑は紙一重の感情であることに気がついた。その軽蔑は、行天に反射して自分自身に返ってくる類のものだ。先日のプラカード騒動のとき、行天もたしかに多田に哀れみの視線を向けていた。

結局、行天も俺も一人だということだ。多田は思った。一人でいる重さに耐えかね、耐えかねる自分を恥じているのだ、と。

広場に降り積もった雪には、行天の足跡だけが刻まれている。多田はそれをたどるようにして、ベンチに近づいた。

「行天、なにしてる」

今度こそ、声に出して問う。行天は声をかけられても驚くことなく、視線を道から多田へゆっくりと移した。

「べつに、なにも」

多田も、行天の隣に腰を下ろす。

「チワワはどうした」

「いるよ」

行天がコートのボタンをはずすと、喉もとからチワワが小さな顔を出した。犬をカイロがわりにしていたらしい。多田はチワワを抱きとり、はずした自分のマフラーにくるんだ。チワワは小刻みに震えていたが、それは寒さのせいではなく、いつものことだ。マフラーのなかで、元気に尻尾を振っている。

ジャージのズボンは多田が取りあげてしまったから、今日の行天は襟足が寒そうだ。コートのポケットから手を出して、行天も煙草を吸いはじめた。毛糸の黒い手袋を、なぜか左手にしかしていない。

「なんでかたっぽだけなんだ？」

なにを言われたのかわからなかったらしく、行天は最初、多田の靴のあたりを見、次に広場を軽く見まわし、最後にようやく、自分の手を見た。

「ああ」

と行天は言った。「拾った」

落ちている手袋をするな。と多田は思ったが、黙っておくことにした。

「ところであんたはなにしてんの？」

「……散歩だ」

行天は「ふうん」と言い、

「俺はもう帰るよ」

とベンチから立ちあがった。

これで一緒に帰ることにしたら、俺はなんだかまぬけのようじゃないか？　多田はそう逡巡したが、腕のなかのチワワを言い訳に、行天のあとについて歩いた。

行天は大きく息を吸って吐く。

「こうすると、夜のにおいを感じるんだ」

多田も試してみたのだが、ちょうど流れてきた行天のマルボロのにおいしかしなかった。


「カワイイー！」

ルルと名乗った年齢不詳の女は、チワワを見て甲高い声を上げた。

多田は事務所のソファに浅く腰かけ、先ほどから硬直したままだ。対面のソファでは、ルルがチワワを膝にのせ、頭をなでたり顎をくすぐったりしている。チワワもまんざらでもなさそうに、鼻を鳴らしてルルの掌に体を擦り寄せる。

「何日かまえにぃ、南口ロータリーでチワワをくれるっていうプラカードを見たんですけどぉ」

事務所に電話がかかってきたのは、雪が降った翌朝のことだった。

「電話番号しか書いてなかったしぃ、なぁんかあやしいと思ったけどやっぱりチワワ欲しいからかけましたぁ。もうだれかにもらわれちゃったかしらぁ？」

女の声が受話器の向こうでまくしたてる。多田は女の息つぎの瞬間を狙って、「いえ、まだですよ」と言った。多田便利軒という便利屋であること、駅前に事務所があり、チワワはそこにいることを伝えると、女は「すぐ行きまぁす」と言った。

一時間後に、女は事務所にやってきた。「すぐ」が一時間後というのが、早いのか遅いのかは意見の分かれるところだろうが、多田は事務所のドアを開けた女を見た瞬間、一時間のうちの大半を女が身支度に費やしたことを悟った。

「コロンビア人娼婦のルルでぇす！」

女は事務所に入ってくるなり、元気よく自己紹介した。昼前だというのに、原形をとどめぬほどしっかりと化粧している。波打つ茶色い髪に真っ赤なバラのコサージュを挿し、蛍光グリーンの薄っぺらいワンピースには、ショッキングピンクの大きなチューリップ模様が散っていた。腕には、礼儀正しくドアの外で脱いだらしい、フェイクファーの黄色いコートがあった。「ジャングルに棲息する毒を持つ大トカゲが、インコの化け物を捕獲した瞬間」みたいな姿だ。

ルルをちらっと見た行天が、

「破壊力あるね」

とつぶやいた。ルルは行天の声に反応し、

「それ、なぁに？」

と言った。

雪のなかに長時間いたのがたたったのか、行天は夜中に高熱を出したのだ。動くことができず、しょうがないので事務所のソファで、毛布にくるまって寝たままだ。ルルからすると、ソファに転がった巨大なさなぎが、口をきいたように見えたのだろう。

「気にしないでください」

多田は空いているソファをルルに勧め、自分は行天の脚をちょっと押しのけて、ルルの向かいに座ったのだった。

「……コロンビアのかたですか」

多田がそう聞いたのは、ルルがどう見てもコロンビア人ではなさそうだったからだ。化粧で顔が造形されているのでよくわからないが、アジア系、それも日本人なのではないかと思えた。

「そうでぇす。いま、まほろの駅裏はコロンビアの女でいっぱいなのよぅ」

「娼婦」という単語に、あえて触れないようにした多田の配慮は、あっけなく灰燼《かいじん》に帰した。

「クソッタレ都庁の『浄化作戦』のせいで、みぃんな、カブキチョーやイケブクロから追いだされてきたのぉ」

そういう噂は、多田も聞いたことがあった。まほろに流れた外国人娼婦を目当てに、客もまた、市外からも大挙して駅裏に押しかけているらしい、と。

ルルは、銀ラメのハンドバッグからメンソール煙草を取りだし、気持ちよさそうにふかした。鼻から盛大に煙が吹きでる。

「なんでコロンビア人なの」

行天が、毛布から顔だけ出してルルに尋ねた。それは、「なぜコロンビア人のふりをしているのか」という意味の質問のようだったが、ルルはべつの解釈をした。

「コロンビアの女を運ぶルートがあるのよぅ。あたし、国では毎日、フェンスの向こうを見てたんだ。これを越えればアメリカだわ、って。すっごくたくさんの星が見える夜、あたしは友だちとフェンスを越えた。そしたらマフィアが待ってて、コンテナに積まれて、着いたら日本だったのぉ」

コロンビアの国境はアメリカと接してないぞ。と、多田は言いたかった。多田の腰に当たっている行天の体が、ぶるぶる震えた。熱が上がったのかと思ったのだが、どうやら笑っているらしい。

「かわいい」

ルルは膝のうえのチワワに向かって、もう一度言った。濃くて太いアイラインに縁取られたルルの目が、慈しみをこめてチワワを見つめていた。

「申し訳ないんですが」

と、多田は言った。「もう一人、そのチワワを欲しいと言ってるひとがいるんです。午後に見にくるそうですから、あなたか、そのひとか、どちらにチワワを差しあげるか決めるのは、それからでいいですか?」

行天が後ろから、折り畳んだ膝で激しく腰を蹴りあげてきたが、多田は無視した。ルルは多田を見て、「そうなんだぁ」と微笑んだ。諦めることに慣れたものの表情だった。

「便利屋さんって、どんなお仕事なのぉ? いつも犬の飼い主を探すわけじゃないでしょ?」

「頼まれれば、いろいろやります。なんでも屋ですね」

「あたしの部屋の戸、開きにくくってぇ。一緒に住んでる友だちなんか、爪を割っちゃったぐらいよぅ。いくらで直してくれる?」

「一時間二千円です」

「あたしは二十分二千円」

とルルは笑い、多田が差しだしたメモに住所を書いた。

「いつがよろしいですか？」

「明日。五時ごろ来て」

ルルは、そっと床に下ろしたチワワに、「じゃあね」と言った。

「どうして嘘をつくんだ？」

ルルが去っていくと同時に、行天が毛布のなかから問いかけてきた。「ハナちゃんは、優しいひとにチワワの飼い主になってほしがってたじゃない。あのコロンビア人のどこが不満なわけ」

多田は立って向かいのソファに移動し、煙草に火をつけた。

「行天。ハナというのは、このチワワの名前だ。チワワの飼い主だった子はマリちゃんだ」

「そうだっけ？」

「そうだ。それから、あのルルとかいう女は、明らかにコロンビア人じゃないぞ」

「ナニ人だって犬は飼えると思うけど」

行天は毛布から手を出した。「煙草ちょうだい」

「熱は下がったのか」

「ぐらぐらしてるけど、夜よりはいい。煙草」

まだ起きあがることはできないらしい行天に、多田は自分の煙草とライターを渡してやった。

食べ物だとでも思ったのか、床をうろついていたチワワが行天の手に鼻先を寄せる。煙草の箱を握ったまま、行天は手の甲でだるそうにチワワをなでた。

多田は、ルルが書いたメモを眺める。駅裏にあるアパートのようだった。

「俺はマリちゃんを、新しい飼い主のところへ案内すると約束した。案内したとたん、『コロンビア人娼婦のルルでぇす！』なんて言われてみろ。小学生の女の子に、どう説明すればいいんだ」

「『職業に貴賤《きせん》はない』って、聞いたことあるけど」

と、行天は言った。

「それは、落ちたことのないやつが言う綺麗事だ。おまえだってわかってるんじゃないのか」

「どうかな……」

少しふかしただけの煙草を灰皿でねじ消し、行天は目を閉じた。薄く笑っているようだった。

午後になって、あたたかく日が差してきた。

行天は眠っている。氷を詰めたビニール袋を、首の下と額に置き、身じろぎもしない。腐敗を遅らせながら、葬式のはじまりを待つ死体みたいだ。

多田が事務所をかきまわして探した薬は、使用期限が三年前に切れていた。

「薬だと思って飲めば、小麦粉でも効くって言うぞ」

「やめとく。小麦粉だと信じて飲んだら毒だった、ってことになりそうだから」

「新しいの買ってくるか？　飯は？」

「あんたは俺の嫁さんか？　ほっといてくれていい」

たしかに、行天はふだんからあまり物を食べない。カロリーのほとんどを、酒から摂取しているようなものだ。だからといって、いつまでも事務所のソファを占拠されたら迷惑なんだがな、と多田は思った。その思いをめずらしく鋭敏に感じ取ったのか、行天は毛布に潜りこみながら、

「寝てれば治る」

と言った。「俺の母親は、いつもそう言ったよ」

風邪で熱を出していても、飯も薬もなしに寝かされてただけだったのか。

多田は、行天の人格形成の過程の一端を垣間見た気がした。

「おまえの母ちゃんは原始人かなにかか？」

冗談めかして問うたが、行天からの返事はなかった。まあ、寝られるだけの体力があるなら大丈夫だろう。

事務所の電話の音量を下げ、多田は表に出た。徒歩二分の距離に、駐車場を借りている。ひさしぶりに、軽トラックを洗車しようと思った。仕事の間が空いたときこそ、身辺をぬかりなく整えておくべきなのだ。なにが依頼人の信用を獲得するきっかけになるかわからない。

夢中になって作業をつづけ、最後はジャンパーを脱いでもうっすらと汗ばむほどだった。軽トラックは王族の乗る馬車のようにぴかぴかだ。

「よし」

多田は満足して愛車を眺め、事務所に戻った。いつのまにか日も陰り、夕暮れの気配が町の空

を覆いはじめていた。埃で汚れ、土くれと見分けがつかない姿の雪は、もう道の端にしか残っていない。

多田はわずかにそれを惜しんだ。なにかを惜しむのはいつ以来だろうと考え、思い浮かんだ遠い日を、すぐに打ち消した。

事務所では行天が、コートを着てソファに座っていた。

「どこか行くのか」

「チワワの散歩」

散歩という言葉に反応して、喜んだチワワが行天に近づく。行天はゆっくりとかがみ、チワワの首輪にリードをつけた。

「具合は?」

「途中で倒れるかもしれない」

行天は深刻そうな顔で言った。じゃあ寝てろよと多田が言うより早く、行天はふらふらと立って、事務所のドアに手をかける。

「倒れそうだなあ」

と、行天はもう一度言った。

だまされた、と気づいたときには遅かった。行天はチワワを巧みに誘導し、さっきまで寝こんでいたとは思えぬ足取りで、駅裏に向かったのだ。

南口ロータリーに比べて、駅裏は薄暗い。ネオンもなく、青白い街灯が濡れたアスファルトを照らす。ゴミの入ったスーパーのビニール袋が、電柱の根本ごとに積みあげられており、一部はなだれて中身が道にこぼれていた。

リンゴの芯、使用済みのコンドーム、ふやけて吐瀉物のようになった雑誌の表紙。湿った道のうえは深海の世界のように彩度がなく、輪郭の不確かなものが散らばっている。

駅裏を行く男たちは、だれもが早足で歩き、街灯ごとに立つ女たちを品定めしながら、何度も通りを往復する。そんな通行人に近寄って声をかける女もいれば、平屋の軒先に出した椅子に座り、煙草をくわえている女もいた。

「おまえはこういうあどけない犬をつれて、いつもここを散歩してるのか」

多田は駅裏の通りの入り口に立ちつくし、行天に尋ねた。

「このチワワ、人間の年齢で言えば、たぶん俺たちよりも年上だよ」

行天は、ガードレールに引っかけてあった、だれかの落とし物らしき手袋を見ながら答えた。革製の茶色い手袋で、なかなかよさそうな品だったが、左手のぶんしかない。行天はちょっと考え、革の手袋を裏返しにして、右手にはめた。

「そろった」

と行天は、手袋に収まった自身の両手を見て言った。どこが、と多田は思った。

「俺は帰る」

「はじめて来たけど、なんか闇市って感じだね。こんなところがまだあるんだ」

行天はチワワをうながし、通りに踏みだした。多田はまわれ右をしようとして、果たせなかった。行天ががっちりと、多田のジャンパーの裾を握っていたからだ。

「離せ」

「まあまあ、ちょっとつきあってよ」

「いやだ。なんで俺が。だいたい、ここになんの用があるんだ」

「まほろの男が駅裏に来る。目的はひとつでしょ」

「そうだな。すっきりしたら熱もすっかり下がるかもな。一人で行け」

「まあまあ、ちょっとつきあってよ」

犬をつれた男二人は、周囲から確実に浮いていた。当然、行天は気にしたふうでもない。抵抗する多田を引きずって、通りを端まで歩くと、また駅のほうへ戻りはじめる。戻る途中、痩せて小柄な女のまえで、行天ははじめて足を止めた。軒先の椅子に腰かけ、興味深そうに多田たちを眺めていた女だ。

「こんばんは」

と行天は言った。女は隣の家の住人に声をかけられたみたいに、自然に顔を向けてきた。まだ若い。行天の手を引きはがそうと努めつつ、こういうのが好みなのかと、多田は少し意外に感じた。

「今日は、ルルは来てないみたいだね」

「もうちょっとしたら来ると思うけど」

女は少しの警戒をにじませた。「ルルのお客さん？」

「うん」

行天はいつも、平然と嘘をつく。「あんた、ルルと仲いい?」

「お兄さんたち、警察?」

「この犬、警察犬に見える?」

女は足もとのチワワを見、再び行天を見上げた。

「ルルとはけっこう話すけど」

「そう。じゃ、あんたにしよう」

行天は多田を解放した手で、コートのポケットから財布を出した。

「それ俺の財布!」

と多田は叫んだ。

「二十分二千円だったよね?」

行天はかまわず、女と交渉をはじめる。

「三人で?」

「あんたの相手は一人だよ」

ためらう様子の見えた女に、行天は安心させるように微笑み、さっさと二千円を払った。

「待て待て待て!」

多田は、いつのまにかぺしゃんこになっていたジャンパーのポケットを確かめつつ、金のやりとりを呆然と見た。

「なに。ここは領収書は出ないと思うけど」

「そうじゃない」

行天を引っ張って女から少し離れ、多田は小声で問いただした。「なんで俺の財布から出す！」

「小学生の小遣いじゃ、女は買えないから」

行天は多田に向き直った。「そういうわけで多田、行ってきて」

「俺？」

「そう。金の出どころはあんただし」

自分も熱が出たのかと思うほどのめまいを感じ、多田はうめいた。

「なぜそういうことになる」

「俺は、チワワの飼い主はコロンビア人がいいと思う。でもあんたはいやだと言う。公正な結論を出すために、あのコロンビア人のひとととなりについて、仲間の女から情報収集する必要がある」

「俺は探偵じゃない。素行調査は取り扱ってない」

「ねえ、どっちのひとか決まった？」

と、背後で女が焦《じ》れたように声をあげた。

「こっちのひと」

と行天は多田を指し、なめらかな動作で煙草に火をつけた。「チワワのためにがんばれ」

「ふざけんな。おまえが行け」

「セックスがきらいなの？」

「そんなわけあるか。いや、そうじゃなくて……」

「ふうん。だったらいいじゃない」

行天は味わうように、肺まで入れた煙をゆるゆると吐いた。「俺はしたことないんだよね。だから任せた」

「はい？」

なにか非常に気になることを行天は言ったようだが、と混乱する多田の腕を、椅子から立ちあがって近づいてきた女がつかんだ。

「早くしてくれる？」


したことないって、この年になるまで一度も？　それこそ風俗だってあるんだし、ありえないだろ。若いころのあのムラムラって、抑えようとして抑えられるもんじゃないよな。待てよ。もしかして、女とはしたことないって意味なのか？　そういう男とひとつ屋根の下で暮らす俺は、気づかぬうちに大きな危機に直面しているんじゃないか？　いや、偏見だ。男と女だって一緒にいたら必ずセックスするというわけでもなし、行天の好みから俺ははずれてるんだろう。よかった。って、そうじゃないだろ！　あいつたしか、子どもがいるって言ってなかったか？　まただまされたんだよ俺は。なんであいつは表情筋を動かさずに嘘をつけるんだ。そうだよな、この年になるまで一度もしたことないってありえないよな。それこそ風俗だってあるんだし。

洗濯中の靴下みたいに、脳みそが濁流に揉まれている多田のまえで、女は羽織っていたコートと、紫色のスリップドレスを脱いだ。女が身にまとっていたのは、その二つだけだった。

「ゴムつけます？　それとも自分で？」

「あ、自分で」

と答えてようやく、多田は我に返った。

建物のつくりは長屋風で、玄関は部屋ごとに独立している。通りに面した引き戸を開けると、雑巾二枚ぶんほどの靴脱ぎだ。

小さな円形の蛍光灯がぶらさがる室内は四畳半で、中央に湿っていそうな薄っぺらい布団。あとは姿見と、裁縫箱のようなプラスチック製の小型の物入れがあるだけだった。

ここに住んでるわけじゃないのか、と多田は思った。ずっと以前、好奇心と欲求を抱えて駅裏に来たときには、この狭い平屋が、女たちの住居兼仕事場のようだった。

ルルもべつのアパートに住んでいるみたいだし、いまはもっと組織的に効率よく、大勢の女たちを平屋に出勤させる形態なのかもしれない。

「はい」

毛羽立った畳に正座する多田に、全裸の女がコンドームを手渡した。「時間が来たら終わりだから。急いで」

女は布団に仰向けに横たわり、大きく脚を開いた。脚のつけ根の細い骨が浮かびあがる。

ひさしぶりに見たなと、多田は感慨深く、反射的に女の股に視線を向けた。女の枕元には、蓋もされていない瓶があった。ジャムの空き瓶を再利用したらしきそのなかには、透明の糊のようなものが入っていた。女は右手で瓶をつかみ、成分不明のゲル状物質をややぎこちなく指ですくうと、自分の性器に深く塗りつけた。左利きの女の子〜、と頭のなかで歌った多田は、少しの違和感を覚えた。なにかが気になる。しかし、女が「どうぞ」と言ったことで、意識はすぐに眼前の光景へ戻った。

「あー、ごめん。ちょっと待って」

「なに？　だめそう？　でも時間が来たら……」

「そうじゃない。止めるタイミングがつかめなかったんだが、しなくていいんだ」

女は布団のうえに身を起こした。

「お金は返せないけど？」

「ああ」

絶対に天引きする、と決意しながら、多田はうなずいた。「ルルについて教えてもらえるかな」

枕元のティッシュの箱から、二、三枚を引き抜いて女に渡した。女は自分の指をぬぐった。室内は暖房もなく、寒かった。

「やっぱり警察のひとなんじゃないの？」

「警察が来てもおかしくないほど、ルルはまずいことしてるのか？」

コートをたぐりよせて肩にかけ、片膝を抱えて座った女は、足の指先をあたためるようにこすった。

「ルルのなにを調べてるの？」

「たいしたことじゃない」

そう、ぜんっぜんたいしたことじゃない。それなのになぜ、こんな事態になってるんだ。多田は行天を呪いながら、はいであった掛け布団を女のほうに押しやった。

「ただ、ルルは犬をかわいがりそうなひとかなと、それを知りたかっただけだ」

「犬？」

女の瞳が、はじめて正面から多田を映した。「それって、もう一人がつれてたチワワのこと？」

多田がうなずくと、女は「すごい」とはしゃいだ声で言った。

「ずっとルルと話してたの。犬を飼えたらいいね、部屋に帰ったときに犬がいたらいいのにね、って。アパートだから小さい犬じゃないと駄目だけど、いま人気で高いし、とても無理だと思ってたのに」

「もしかしてきみ、えーと、名前は？」

「ハイシー」

「ハイシー。きみは、ルルと一緒に暮らしてるのか？」

「ルームメートだよ」

多田はハイシーの指を改めて見た。右手の人差し指の先に、絆創膏《ばんそうこう》をしている。

違和感の正体が明らかになった。謎のゲル状物質も、ティッシュの箱も、すべて右手で取りやすい位置にあるのに、おかしいと思った。ハイシーは左利きなわけではなく、右手の爪が割れていたのだ。開きにくい部屋の戸のせいで。

ハイシーがルルの関係者では、いくら話を聞いても、「公正な結論」など導きだせるわけがない。行天がハイシーに声をかけたときから、多田に不利なゲーム展開になっていたのだ。野性の嗅覚なのか、ちゃんと通りの女たちを観察した結果なのかわからないが、あなどりがたし行天。

「明日、戸を直しにいくことになってる。ルルに頼まれたんだ」

「あなた、ルルの新しい男？」

「ちがう」

ハイシーの恐ろしい勘違いを、多田は失礼にならないよう気を使いながらもきっぱりと否定した。「俺は便利屋だ」

「そっか」

ハイシーは布団カバーの毛玉をむしった。「ルルもいいかげん、あの男と別れればいいのに」

あの男ってだれだ、と思ったが、余計なことは聞かないにかぎる。やはり、ここでほだされてチワワを託すには、ルルもハイシーも不安定すぎる立場のようだ。多田はそそくさと立ちあがった。

「ハイシー、悪いけどチワワは、ほかのひとにあげることになったんだ。明日、俺からもルルに伝えるけど」

「そうなの？　どうして？」

ハイシーは多田を見上げてきた。「あなた、ルルのことを聞きたがってたじゃない。ルルはきっと犬をかわいがるよ。面倒見いいし、優しいもん。あたしもかわいがるよ」

そうかもしれない。でもだめだ。多田はハイシーのまえにしゃがんだ。

「ルルはコロンビア人か？」

「聞いたことないけど、ちがうでしょ。いま、ここではコロンビア人がはやりだから、そう言ってるだけだと思う」

「嘘つきにはチワワはやれない。あれは大事な預かり物なんだ」

多田は立って靴を履き、玄関の引き戸を開けた。

「じゃあ最初から来んな」

とハイシーが言った。まったくだ、と多田は思った。

行天は軒先の椅子に座り、チワワを膝にのせて待っていた。

「聞いてたか？」

と多田が問うと、

「聞こえた」

と行天は答えた。

地面に下ろされたチワワは、せわしなく足を動かして前進する。その尻を見ながら、並んで歩いた。

「財布返せ」

行天は無言で、多田の胸元にぽいと財布を投げてよこした。受け止めて、ジャンパーのポケットに収める。

「おまえ、どっか体でも悪いのか?」

「熱ならもう下がったけど?」

「いや、そうじゃなくて……」

多田が言葉を濁すと、行天は察したらしく、ようやく少し笑った。

「どこも悪くない。ただ、よくわからないだけだよ」

そうか、と多田はなんとなく納得した。見たばかりのハイシーの体を脳裏に再生する。不思議だった。どうしてかつては、ためらいなくだれかと抱きあえたのか。つながり重なることで満たされ、相手を知ることができたと信じられたのか。

たしかに体得したはずの異国の言語が、長く使わないうちにいつのまにか、ついに自分のなかから失われてしまうように。己れのどこをどう探ろうとも、多田はもう、以前のような熱情と希望を見つけられなかった。

マリちゃんはまちがえたんだ、と多田は思った。俺だったら、こんな男に大事な犬を託したりしない。信頼に値する知人もなく、その日ぐらしで仕事を待ち、安っぽい同情であやうく娼婦に犬を渡しそうになる男になんか。

だが、欠落を見抜けなくてもしかたがない。彼女は小学生なのだから。失望と悲しみは味わったとしても、まだむなしさを知らない年なのだから。

約束の時間きっかりに、多田はルルとハイシーが住むアパートの部屋を訪れた。行天もついてきた。体温は平熱近くで安定したようだが、今度は鼻水が止まらないと言い、トイレットペーパーを小脇に抱えている。チワワは事務所で留守番だ。

「多田、ビニール持ってない？　鼻かんだ紙でポケットがいっぱいになった」

「持ってない」

ドアが開き、造形途上にあるルルの顔が現れた。石膏で型を取っている最中かと思うほど、ルルはファンデーションをべったりと塗っていた。眉もなく、目の縁取りもまだ施されていないその人物を、ルルだとはっきり認識できたのは、ひとえに声と話しかたのおかげだった。

「いらっしゃーい。入って入ってぇ」

玄関を上がってすぐのところは、板敷きの狭い台所だ。その奥の西向きの六畳一間で、ルルとハイシーは寝起きしているらしかった。

ルルは靴を脱いだ多田に向かって、

「これなのぉ」

と、台所と六畳の境にある、合板が貼られた引き戸を指し、持参したトイレットペーパーを消費しつづける行天には、「あら、鼻が真っ赤」と言った。

「ハイシーは、もう出勤しちゃったのよぅ。昨夜、会ったんだってねぇ」

ルルは六畳に置かれた鏡台のまえに座り、化粧を再開した。狂気にかられてデッサンする画家のように、大胆に眉毛を描いていく。

「あんなにぐいぐい描いちゃっていいもの？」

と、行天が鼻をすすりながらささやいた。多田は自分の眉毛も他人の眉毛も描いた経験がなかったが、よくはないだろうなと思った。

「ルルさん、チワワのことなんですが」

「わぁかってるってぇ」

ルルは多田の言葉を明るくさえぎった。「ハイシーには、ちゃんと決まるまで黙ってようと思ったんだけどなぁ。あの子、あたしよりも若いから、ぷんぷんしちゃってたと思うけど、許してやってねぇ」

つけまつげを装着し、まぶたにちゃんと固定されるのを待ちながら、ルルは鏡から視線をはずして多田を見た。

「で、どう？　直りそう？」

つけまつげがまぶたの真ん中あたりについてるが、あそこまで目だと言い張るつもりだろうか。いったいどうやって？　怪訝《けげん》に思う気持ちを表情に出さないようにしながら、多田はしゃがんで戸の具合をたしかめた。

古いアパートだから、敷居からして歪んでいる。戸の下部を少し削ってもいいが、そうすると湿度の変化で木が縮んだときに、がたつくようになってしまうかもしれない。

多田が説明すると、ルルはつけまつげにたっぷりとマスカラを塗りながら、「削っちゃっていいわよぅ」と言った。

「どうせ、どこもかしこもすきま風でがたついてるんだもん」

ルルは契約書に「ルル」とサインし、二千円を払った。あの黴《かび》くさい平屋での、ルルの二十分。

多田は用意してあった領収書と引き換えに、札を受け取って作業を開始した。

床に這って、敷居と戸との嚙みあわせを確認し、何ミリ削ったらいいかを慎重に見極める。持ってきた道具箱を探って小型の鉋《かんな》を選び、刃先を調整する。そのあいだに行天が、敷居から戸をはずした。

鉋は時を削る道具だ。刃をあてて引くたびに、時間の澱《おり》が薄くはぎとられ、眠っていた木の香りがやわらかく漂う。

一度削るごとに戸をはめて、すべり具合をたしかめた。

「すごいのねぇ」

作業を見守るルルの目は、アイラインの効果で二倍ぐらいは大きくなっている。

なめらかに開閉できるようになったら、あとは敷居に蠟《ろう》を塗れば完了だ。あまり削りすぎてはいけないことを、多田はそれまでの経験から学んでいた。

「行天、蠟を塗ってくれ」

それぐらいなら行天にもできるだろう。戸をはめたりはずしたりする以外は、台所で突っ立っているばかりだった行天に、少しはやりがいを与えてやらねばならない。

また鼻をかんでいた行天は、

「そのまえに、ちょっとトイレ借りていい？」

とルルに聞いた。おまえ、いつもホントになんのためについてくるんだ、と多田は言いたかった。言っても無駄なので、黙って敷居に蠟を塗った。

トイレから盛大な水音が聞こえてくる。鼻をかんだ紙を、ついでに流して捨てているのだろう。

「あのひと、変わってるのねぇ。友だち？」

「まさか」

多田は木屑を片づけ、帰り支度をすませた。立ちあがり、戸を開閉してみせながら、「こんな感じでよろしいでしょうか」と仕上がりの確認を求めた多田は、六畳間を覗いてそのまま動きを止めた。ルルが素っ裸だったからだ。

「あら、ごめんぇん。そろそろ着替えないといけない時間でぇ」

ルルは光沢のある青いスリップドレスをかぶりながら、「どれどれ？」と多田のほうに近づいてきた。適度に脂肪ののった下半身が、まだ丸見えだ。

俺はなにかを試されているのだろうか。行天はいくらなんでもトイレが長すぎやしないか。だれでもいいから助けてくれ、と多田が胸のうちで悲鳴をあげたとき、「あれ取りにきたぜ、ルル」という声とともに、玄関のドアが勢いよく開いた。振り返ると、チンピラを絵に描いたような若い男が立っていた。明らかに目の焦点が合っていない。

「だれだおまえ！」

と男は言い、ルルはドレスから首だけ出した状態で、

「シンちゃん！」

と言った。

あの男って、この男か！　と多田は思った。最悪の状況だった。これではまるで多田が、ルルのドレスを胸のうえまでたくしあげたかのように見えてしまう。

案の定、シンちゃんと呼ばれた男は、土足のまま室内に踏み入ってきた。

「ちょっと来なかったら、もう新しい男か？」

男は横目で多田をにらみながら、低くうなる。「あれはどうしたんだよ、ルル。捨てたんじゃねえだろうな」

止める間もなかった。「シンちゃん、そのひとは」と言いかけたルルを、男は腕をふりあげて思いきり殴りつけた。ルルは背中から戸にぶつかり、台所の床に倒れ伏した。

「ルル！」

多田は男を突き飛ばし、走り寄ってルルを助け起こした。女に暴力をふるう男を目の当たりにするのははじめてで、怒りよりも驚愕と動揺が勝っていた。

「平気ぃ」

とルルは顔を上げた。左目が充血している。流しにつっこんだ男が、体勢を立て直す気配がした。床に膝をついていた多田は、振り返りざま男の腹を掌で強く押した。幼稚園児のどつきあいのようだと思ったが、喧嘩に慣れていないので、どうしたらいいのかよくわからなかった。男がバランスを崩した隙に、ルルをかばうようにしてとりあえず立ちあがる。

「落ち着け」

無理を承知で、男に言った。「俺は便利屋だ。戸を直しにきただけだ」

男は脂汗をじっとりと肌に浮かべながら、多田につかみかかってきた。踏みとどまれず、男ごと六畳間に倒れこむ。こんな騒ぎが起こっているのに、なぜ行天はトイレから出てこない。腰を打った衝撃に、多田は目を閉じてうめいた。

そのとき、男が短い叫び声をあげて、多田の体から転がり落ちた。足もとに立った行天が、男の首筋に押し当てた煙草を、再び自分の口に運ぶところだった。

「このジャンキー、なに？」

行天は男の腹に強烈な蹴りを入れながら、台所の床にうずくまったままのルルに問いかけた。

「あたしの男ぉ」

と、ルルは言った。

「ふうん」

行天はかがんで、つまんだ煙草を苦悶する男の目に近づけた。

「出てくるのが遅い」

多田は畳に身を起こした。「よせ、行天」

「便所がつまっちゃったんだよ」

と行天は言い、煙草を引っこめた。

男は横に立つ行天の存在におびえ、おとなしく寝っころがったままでいる。部屋に静けさが戻った。

「こういうのはどうかな、コロンビアのおねえさん」

と、行天はルルに言った。「あんたは、この男とすっぱり手を切る。かわりに、かわいい犬を飼う」

ルルは腫れはじめた顔を上げ、多田は「どうしてそうなる」とつぶやき、男は「こいつはなんなんだよ」と毒づいた。

「あんたの欲しいもんは、これでしょ？」

行天は男の顔のまえで、持ち歩いていたトイレットペーパーの芯の部分から、透明のビニール袋を出してみせた。厳重に封をされたそのなかには、小麦粉のようなものが入っていた。

「どうしたんだ、それ……」

多田の呆然とした問いかけに、

「便所の給水タンクに入ってた」

と、行天はしらっと答えた。

入ってたからといって、なぜ持ちだす。まさか使ったり売ったりする気だったんじゃないだろうな。妙に場慣れした行天に、多田は疑惑の眼差しを送った。

「返せ！」

吠える男のうえに、行天は煙草の灰を落とす。

「さあ、どうするおねえさん？」

「別れるぅ」

とルルは言った。「ハイシーにも、シンちゃんとはもうつきあうな、って言われてたしぃ。チワワくれるんなら、別れるぅ」

「ふざけんな」

と男は言った。

「ふざけてんのはあんただ」

と行天が言った。言ったところで鼻水が垂れ、トイレットペーパーでぬぐう。

「このおねえさんに近づいたら、今度こそあんたの目を焼く」

行天はビニールの小さな包みを、男の手に握らせた。「行っていいよ」

男は悔しそうに床をひとつ叩き、だが目的のものを手にしたことで自分を納得させたのか、足音も荒く部屋から出ていった。

玄関のドアが閉まる。

「本当にチワワをくれるの?」

スリップドレスをようやく引き下ろしながら、ルルが心配そうに聞いた。

「あげる」

行天は六畳から出て、台所の流しに煙草を捨てた。

「勝手に決めるな」

という多田の言葉は、行天もルルも聞いていなかった。

「これから仕事でしょ。明日、事務所にチワワを迎えにきてよ。用意しておく」

行天は道具箱をぶらさげ、多田を見た。

「さあ帰ろう」


痛む腰をかばいながら、多田は夜の町を歩いた。

「ルルがシンちゃんとやらと別れられると、本当に思ってるのか」

「無理っぽい気もするね」

行天はあっさりと言った。

「そう思うなら、なんでチワワをやるなんて言った」

多田は声を荒げた。「あの部屋で飼っていたら、いつかチワワの餌にシャブが混入するぞ」

「多田。犬はねえ、必要とするひとに飼われるのが、一番幸せなんだよ」

「チワワがそう言ったのか」

行天は、駅前でポケットティッシュを配っている女の子のほうに引き寄せられていった。多田は憤然としたまま歩きつづけた。

「あんたにとって、チワワは義務だったでしょ」

大量のティッシュをもらった行天が、追いついてきて再び横に並んだ。「でも、あのコロンビア人にとっては違う。チワワは希望だ」

行天は片手でポケットティッシュを開け、鼻をかもうとした。多田は道具箱を持ってやった。

しばらくお互いに黙った。

南口ロータリーを抜けたところで、行天は静かに言った。

「だれかに必要とされるってことは、だれかの希望になるってことだ」

このへんてこりんな男を必要とし、希望とした人間が、広い世界のどこかには存在するのだろうか。多田にはとても信じられなかった。

チワワが事務所で過ごす最後の夜。その晩餐にふさわしいよう、一番高い缶詰のペットフードを、寄り道してディスカウントショップで買った。

「奮発するって言ったくせに、定価では買わないんだ」

「居候《いそうろう》のくせに駅裏に行ったやつのせいで、金がないんだ」

行天はすさまじい鼻声で、

「そろそろ働いたほうがいいよ」

と言った。本気で忠告しているらしかった。

ふと、ずっと昔から行天と、こんなふうに馬鹿げた会話を交わしてきたような気がした。もちろん、そんなものは錯覚だった。必要とし必要とされる自分を疑いもしなかったころには、多田は行天としゃべったことなど一度もなかった。

「ずっと謎だったんだけど、あんた本当にのんきだよね。ふつうはもうちょっと早くに、広告を打つとか、顧客に営業電話をかけるとか、チラシを配るとかするもんなんじゃないの？」

そう言いながら行天は、事務所へ通じる階段を上っていく。あとにつづこうとして多田は立ち止まり、ビルのまえの歩道から夜空を見上げた。

そびえたつデパートの黒い影。その屋上の角に引っかかるように、小さな明るい光があった。

基地へ戻る飛行機だろう。そう思ったのだが、じっと動かず輝いている。

空に星。

多田は大きく息を吸った。湿ったような春の夜のにおいがした。

三
働く車は、満身創痍

三　働く車は、満身創痍

軽トラックは先ほどからほとんど進んでいない。

行天が開けた助手席の窓から、まほろ駅前を行き交う人々の気配、けばけばしいネオンの下に立つ客引きの声、悲鳴みたいに交互にあがるクラクションと踏切の音、そしてひと雨来そうななまあたたかい風が、忍び入ってくる。

「腹へったなあ」

かたわらを通りすぎるハコキューの轟音《ごうおん》に負けないよう、多田は声をはりあげて行天に話しかけた。

「そう？」

行天は開けた窓に肘をつき、車外に向けて煙草の煙を吐いた。ちょうど軽トラックの横を歩いていた会社員が、白い有害物質をまともに浴び、振り返ってこちらへ悪態をつくのがフロントガラス越しに見えた。

こまごまとした依頼をこなすために、一日中まほろ市内をかけめぐり、多田と行天はようやく駅前に戻ってきたところだった。

庭に猫の死骸があるから片づけてほしい。押入のつっかえ棒がはずれて洋服をかけられないので取りつけ直してほしい。夜逃げした店子《たなこ》の荷物を処分してほしい。

そんなことは自分でやれ、と言いたくなるような依頼のおかげで、便利屋という職業は成り立つ。

チワワがいたころは、夕飯時には仕事を切り上げ、事務所に戻るようにしていた。チワワに餌をやり、人間もちゃんと食事をとった。それから夜の時間を、ごろごろしたりチワワの散歩にあてたりしていたのだ。

チワワが自称コロンビア人のルルに引き取られていってから、多田と行天の生活のリズムは崩れっぱなしだ。依頼次第で、朝はいつまでも寝ているし、夜も遅くまで働くようになってしまった。

これではいけない、と多田は思う。多田にとっては、チワワが来るまえの生活に戻っただけだから、不規則な暮らしでもべつにかまわないのだが、問題は行天だった。チワワという枷《かせ》をなくした行天は、放っておくと底なし沼にはまったみたいに、自堕落な毎日を平然と送るのだ。

あまり固形物を摂取しない。昼夜を問わず眠くなったら寝る。それは以前からのことだとして、顔を洗わず風呂にも行かないのはどうなんだ、と多田は思う。どうやら行天は、チワワの散歩のついでに銭湯に通っていたらしいのだが、チワワがいなくなったとたんに、銭湯の存在までもが脳から抜け落ちてしまったようだった。

最初は餌につられて「おすわり」を覚える犬だって、しまいには餌抜きでも「おすわり」できるようになるものなのに。餌がなくなったら、さっさとすべてを白紙に戻してしまうとは。多田は行天のことを内心でひそかに、「こいつは犬よりもアホだ」と評していた。

行天の生活を、少しでも人類のものに近づけるべく、多田は奮闘している。それで、

「夕飯になにか食いたいものはないか？」

と、なおも話題をふってやったのに、助手席の行天はあいかわらず気のないそぶりで、

「べつに、なんでもいい」

と答えただけだった。

空腹と渋滞のせいで、多田はいらいらしてきた。

ハコキュー北口方面から駅前に入ろうとしたのは失敗だった。道が狭く、混んでいることが多いのだ。いつものように、素直にバス通りを選べばよかった。そうすればいまごろはもう、事務所に着いていただろう。駐車場に軽トラックを置いて、飯を食いがてら、ぶらぶら歩いて銭湯に寄って……。

「思うんだけどさ」

という行天の言葉で、多田の夢想は破られた。「このごろ俺たち、会話が少なくない？」

い、い、このごろもなにも、会話の増減を云々するほど、俺たちが「仲良くおしゃべり」したことなどかつてあったか。だいたい会話が少ない原因はだれにあると思ってるんだ。こっちが、目をつぶ

ってってもホームランを打てるような球を投げてやってるってのに、おまえときたらそれを片っ端からボトボトボトボト、拾う気も失せるようなクソのごときゴロにして返しやがって。

多田は大きく深呼吸し、

「そうか？」

とだけ言った。

「そうだよ。なんだかほら、あれだ。子どもが巣立っちゃったあとの中年夫婦みたいだ」

やっと自発的にしゃべったかと思うと、どんな名捕手でも受け止めきれないような大暴投だ。

「おぞましい比喩はやめろ」

多田はサイドブレーキを下げ、女の歩幅ぐらい軽トラックを前進させ、またサイドブレーキを引いた。

「なんでこの道、こんなに混んでんの？」

軽トラックの灰皿で煙草を消し、行天は窓を閉めた。「夜の九時に、みんないったいどこへ行くのかな」

「どこへも行かない。帰るんだよ」

多田は指で前方を示した。

まほろ駅のハコキュー北口前には、さまざまな塾の入った大きなビルが、たくさん並んでいる。そのなかの中学受験専門の塾から、ちょうど小学生たちが大挙して通りに出てきて、友だちと駅へ向かったり、路上駐車した自分の家の車を見つけだして乗りこんだりしているところだった。

「なにあれ」

行天は器用に、眉を片方だけつりあげた。「もしかしてこの渋滞、塾帰りのガキを迎えにきた車のせいなの？」

「正解」

多田が答えると同時に、まえの車にも小学生の女の子が乗るのが見えた。運転席の母親がなにか話しかけているが、女の子は迎えにきてくれたことに礼を言うふうでもなく、コンビニの肉まんについていた紙を助手席の窓から捨てた。

「おいこら」

と、その情景を眺めていた多田はつぶやいた。行天が横からハンドルに腕をのばし、クラクションを勝手にけたたましく鳴らした。

「おいこら」

と、多田は今度は行天に向かって言った。「やめろって」

なにごとかと、車内の親子がバックミラーでこちらを見たのを確認し、行天は助手席の窓を開けて怒鳴った。

「ゴミ拾え、クソガキが！」

踏切が開き、車の列が動きだした。行天の剣幕におびえたように、まえの車はそそくさと走り去っていく。多田も、事務所のほうへハンドルを切った。

「行天。おまえも腹がへってるんじゃないか？　いつもとキャラがちがうぞ」

「俺は躾《しつけ》のなってないガキがきらいなんだよ。塾に通わせて交通渋滞を引き起こすまえに、あのサルにはほかに教えるべきことがあると思う」

ポイ捨てした吸い殻を、いつも多田に拾わせていることは忘れたらしい。行天は不機嫌そうに、再び煙草をふかした。

「まほろには教育熱心なひとが多いのさ」

「初耳だよ、そんなの」

「俺たちがガキのころは、塾なんてほとんどなかったからな」

ようやく事務所のまえまでたどりついた多田は、駐車場の所定の位置に軽トラックを停め、エンジンを切った。「市内に、でかいマンションが次々できてるだろ。小学生のガキがいるような若い夫婦にとっては、通勤圏内の手頃な物件なんだ。似たような家族構成の人間が同じマンションに集えば、教育熱に拍車がかかる」

「ばからしい」

行天は軽トラックから降り、足早に駐車場を横切った。

「おい、囲炉裏屋の弁当でいいか」

多田が声をかけても行天は歩みを止めず、事務所のあるビルに一人で入っていってしまった。なにを怒ってるんだか、と思いながら、多田は顔なじみの弁当屋でノリ弁を二つと唐揚げを一パック買った。今夜こそ、なんとか行天をなだめすかして銭湯へ連行しなければならない。チワワよりも手がかかる。

子育て、という言葉がふいに浮かび、多田はあわててそれを打ち消した。

行天はやっぱり腹がへっていたらしい。

ノリ弁をたいらげると機嫌を直し、おとなしく銭湯へついてきた。いまは濡れた洗面器を手に、

「湯冷めしない、いい季節になったねえ」

などと言いながら、多田のあとを歩いている。街灯に照らされた行天の影が、夜だというのに多田の足もとまで長くのびた。行天の前髪は輪ゴムでひとつに束ねられ、頭のてっぺんで揺れていた。

「明日、床屋に……」

なぜ散髪の指示までせねばならんのか、と思いながら振り返ると、行天はすでに多田の背後にはいなかった。

「シーンちゃーん！」

明かりを落としたハコキューデパートの裏手付近に、ルルの男が所在なげに立っていた。それを発見した行天は、妙な裏声をあげて男に突進していくところだった。

行天は右手でピースマークを作り、走り寄る勢いに乗せて二本の指でシンちゃんの眼球を突こうとした。殺気にたじろいだシンちゃんは、「うわあっ」とすんでのところで目つぶしをかわした。

「なにすんだよ！」

とシンちゃんは叫び、そこではじめて、目の前にいるのが天敵の行天だと気づいたようだ。直

立不動の体勢で、目と口を閉じた。

「シンちゃんこそ、なにしてんの」

行天は、強《こわ》ばったシンちゃんの頬をピースマークでつっついた。「まだまほろにいたんだ。まさか、コロンビア人のおねえさんのところには行ってないだろうねえ」

「行ってません」

「目ぇ見て話そうよ」

シンちゃんがおずおずと目を開けたところへ、行天が腕をしならせて、またもや目つぶしを繰りだした。シンちゃんは反射的に目を閉じ、行天の指先はまぶたに食いこんで止まった。

「いてえ！」

とシンちゃんはうめき、行天は「残念」と笑った。

「コロンビア人のおねえさんに迷惑かけたら、目玉だけじゃなく脳みそもえぐりだしちゃうよ」

行天は優しくささやき、シンちゃんを解放した。シンちゃんは捨てぜりふを残したそうだったが、行天を刺激するのは得策ではないと判断したのだろう。結局なにも言わず、通りの人混みにまぎれて小走りに消えた。

「……で？　なんか言いかけてなかった？」

行天が多田のそばに戻ってくる。少し離れた場所で一部始終を見ていた多田は、

「いや」

と答えた。「おまえは事務所でおとなしくしてろ。明日は電話番だ。いいな」

盛大に文句を言う行天を事務所に残し、多田は午前中を、足りなくなった備品の買い出しにあてた。

電球。セロハンテープ。犬小屋を修繕してほしいという依頼があったから、金網も買っておかなければ。多田は頭のなかの帳面をめくり、必要なものを求めて、まほろ駅前の東急ハンズの階段を上がり下りした。

会社勤めをしていた名残か、多田にとって事務作業や資材の発注は苦ではなかった。実際に体を動かす作業も好きだが、その下準備も念入りにしておく。おかげで、帳簿の収支はいつもきっちり、無駄のない備品の仕入れぶりで、多田便利軒は顧客の信頼も篤い明朗会計を維持できている。

「俺に死角はない」

多田は自分の働きに満足し、買った品物を軽トラックの荷台に積んだ。買い物をすると、ハンズの駐車場は二時間まで無料になる。まだ少し時間があったので、多田は駅裏のルルのアパートへ、チワワの様子を見にいくことにした。

昼を過ぎたばかりの駅裏は、人通りがほとんどない。たいていの住民は夢の世界に遊んでいる頃合いだ。自称コロンビア人もまだ眠りのなかかもしれないと思ったが、アパートのドアを叩くと、すぐに応答があった。

「はぁーい」

「多田便利軒です」

「あらぁ、いらっしゃーい」

ドアが開き、蜻蛉《かげろう》みたいにすけすけのネグリジェを着たルルとハイシーが、すっぴんの顔一面に笑みをたたえて出迎えてくれた。その足にまとわりつくように跳ねるチワワが、ちぎれんばかりに尾を振った。事務所にいたころよりも毛艶がよく、耳に小さな赤いリボンをしている。

「あがって」

とすすめられたが、多田は玄関先で手みやげの缶詰を渡すにとどめた。チワワがかわいがられ、元気にやっているのを確認できればいい。

多田が靴を脱ごうとしないので、ハイシーは残念そうにヤカンの火を止めた。チワワを抱きあげ、

「お茶ぐらい飲んでいけばいいのに」

と言う。

「便利屋さんはお仕事の途中なのよぅ」

と、ルルがとりなした。「今日は、変わったオトモダチは一緒じゃないの?」

「あいつは留守番です」

多田はハイシーの胸に触れないように注意しながら、抱かれているチワワの頭をひと撫でした。

「ルルさん、このごろシンちゃんとは会ってますか?」

「ううん、全然」

ルルは腫れぼったい目で多田を見上げてきた。「あたしぃ、約束は守るよ？」

「そうですね。すみません」

多田は微笑んだ。やはりこの女たちに犬を任せてよかったのだ、と思えた。

「シンちゃんがどうかしたのぉ？」

「いえ。昨夜、駅前で彼を見かけたものですから。まだこのあたりにいたんだな、と」

「あいつ最近、商売がうまくいってないらしいよ」

チワワのリボンを直しながら、ハイシーが教えてくれた。「いい気味だ」と言いたそうな口調だった。

「商売」

「うん。若い子たちに、クスリを売りつけてるの。それであいつ、いつも駅前をうろうろしてるんだけど、なんかこのごろ、もっと安全な方法でブツのやりとりをするグループがいるみたいでさ。シンちゃんの商売はあがったりだって噂」

「安全な方法って、どんななぁ？」

ルルがのんびりと尋ねる。

「さあ。それがわかれば、シンちゃんも巻き返すチャンスがあるんだろうけど。ま、あたしたちには関係ない話だよ、ルル」

どうせ、まほろでさばけるクスリの量などたかが知れている。組のほうは、シンちゃんだろうが新しいグループだろうが、金さえ入ってくるなら、さばくのはどっちに任せてもいいと思っているはずだ。どうやら、シンちゃんの生活はピンチのようだな。多田はにやつくのを抑えるのに苦労した。あの男のせいで、しばらくはくしゃみをするのにも勇気が必要だった。腰痛の恨みを忘れたわけではないのだ。

「事務所のほうにも、たまには遊びにきてください」

「うん。またねぇ」

アパートの錆《さ》びた外階段を下りた。振り仰ぐと、ルルとハイシーはまだ戸口に立って多田を見送っていた。ハイシーが腕に抱いたチワワの前脚を持って、ちょっと振ってみせる。

二人の女も、チワワも、幸せそうだった。

それに比べて、俺の暮らしはどうだ。事務所に戻った多田は、鈍い痛みを訴えるこめかみを揉みほぐした。

行天はソファにふんぞり返り、灰皿に吸い殻の山を築いていた。事務所は玉手箱になったみたいに、白い煙を充満させている。多田は買った備品をきちんと棚に収め、窓を開けて換気した。

「留守のあいだに、なにか依頼はあったか？」

行天は黙ったまま、未使用の領収書の冊子を投げてよこした。領収書の裏に、ボールペンで判読不明の殴り書きがあった。

「なぜこれに書く！」

「メモがなかった」

「電話台の下の引き出しに入ってるだろ」

「そう？」

いやがらせだ。留守番をさせられた犬が、部屋中に小便をまき散らすようなものだ。多田はいらいらと、使えなくなった数枚の領収書を引きちぎった。

「……それで、なんて書いてあるんだ、これは」

「草むしりの依頼が一件。犬小屋の修理についてが一件」

「犬小屋なら、午後から行くと伝えてあるはずだが。中村さんだろ？」

「たしかそんな名前だった」

留守番電話に応対させておいたほうがましだった、と多田は思った。

「草むしりはだれだ？」

「さあ……。家が草に覆われるまえに、必要ならまた電話してくるでしょ」

多田は、電話機に残った着信履歴と顧客名簿を照らしあわせ、依頼人を割りだした。草むしりの日程を決め、中村さんに午後の予定を確認し、受話器を置く。

「履歴によると、あと二件、電話があったはずなんだが」

一件は番号非通知。もう一件は、新規の客のようだ。行天は煙草をくわえたまま、ソファで膝を抱えた。

「ひとつは、殺してほしいひとがいるっていう依頼だった。一千万、払うってさ。あんた、殺しも請け負ってる？」

「そんなわけないだろ」

多田も煙草に火をつけ、大きく息を吐いた。「たまにいるんだよ、便利屋を始末人とまちがえてるやつが。それで、どうした？」

「『うちよりも凄腕の便利屋を知ってます』って言って、まほろ警察署の電話番号を教えといた」

「おまえにしては上出来だ」

多田がほめると、行天の頭上で束ねた前髪が誇らしげに揺れた。

「もうひとつは、教育ママゴンから」

「なんだそりゃ」

「塾に通ってる息子を、迎えにいってほしいんだってさ。今夜、家まで面接に来いって」

「家ってどこだ」

「書いてあるでしょ」

行天は吸い差しを灰皿につっこみ、ソファから立ちあがった。

「読めねえから聞いてんだよ」

「昼飯買ってくる」

「酒はやめろよ、行天。おい！」

行天は事務所を出ていき、多田は領収書の裏に書かれた文字だか数字だかわからぬものの解読にとりかかった。

午後は中村家の庭で、犬小屋を修理した。

子どもならば住めそうな大きさの小屋に、精悍なドーベルマンが二頭もいる。多田が、破れたというよりは食いちぎられたらしい金網に手をかけると、犬たちは小屋の内側から興奮して鼻面を寄せてきた。

「行天」

「なに」

「小屋に入って犬の気をひけ」

「やだよ」

しかたがないので、飼い主の中村さんに交渉し、犬たちを少し早めの散歩につれだしてもらった。その隙に、多田は行天と協力して、小屋に新しい金網を張る。念のため二重にし、犬が怪我をしたりしないよう、針金が飛びでているところがないか、すみずみまで確認した。

思ったよりも時間がかかり、作業を終えたときには七時近くなっていた。

『教育ママゴン』との面接は、七時半だったな」

急がないと、約束の時間にまにあわない。多田が解読したところによると、領収書の裏には、「七時半。林田町2―13パークヒルズ1214。田村」と書かれていた。林田町は、最近ではショッピングモールができ、大型マンションが次々と建設されている地区だが、まほろ市のなかでも辺鄙《へんぴ》な場所であることにちがいはなかった。

「さっさと乗れ、行天」

急《せ》かした多田は、軽トラックの助手席に座った行天を見て、「そうだった……」とハンドルにつっぷした。やはり電話番は機械に任せて、行天を散髪に行かせるべきだったのだ。ぼさぼさにのびた前髪を結った姿では、どう考えても依頼人の信頼は得られそうになかった。

「その髪の毛、どうにかならないか？」

行天はバックミラーを覗きこみ、

「なんか変？」

と不思議そうに聞いた。

「せめて黙っててくれ」

多田は諦め、林田町を目指してアクセルを踏みこんだ。


行天は、依頼の電話をかけてきた女を「教育ママゴン」と評したが、多田は実際に女と会ってみて、べつの印象を抱いた。

高層マンションに住む田村家は、両親と小学四年生の息子が一人。父親はまだ帰宅しておらず、新しく明るいリビングには、母親と息子の由良《ゆら》だけがいた。

「息子は、駅前の進学塾に通っています」

母親は淡々と事情を説明した。「週に三回、月水木の夜九時までです。便利屋さんには、塾が終わる時間に息子を迎えにいって、この部屋まで送ってきてほしいんです」

「それはかまいませんが」

多田は、折れそうに細い取っ手のついたティーカップを、慎重に持ちあげた。「またどうして」

「最近、このマンションの近くで、子どもたちに声をかける不審な男が目撃されています。私はふだんは仕事で帰りが遅いものですから、息子のことが心配で」

女の声には、あまり抑揚が感じられなかった。不審というなら、電話帳で目星をつけただけの便利屋だって充分不審だ。現れたのは男二人で、一人は汚いつなぎを着、もう一人は脳天でちょんまげを揺らしているときた。俺だったら、大切な息子をこんな風体の人間に託そうとは思わないがな、と多田は内心で首をかしげた。

由良という名の息子は、会話にはなにも口を挟まず、リビングのテレビでアニメを見ていた。

「由良。明日から、こちらの便利屋さんに迎えにいってもらうから、ご挨拶して」

母親が声をかけると、由良は画面から目を離し、多田と行天に向かって「よろしくお願いします」と言った。由良が見ているのはＤＶＤのようだった。

「よろしく。俺は多田。こっちは行天だ」

由良はぺこりと頭を下げる。多田の言いつけをかたくなに守り、一言も口をきこうとしない行天よりも、よっぽど大人な態度だ。多田は親睦を深めようと、テレビ画面に視線を移した。

「なつかしいアニメを見てるんだね。好きなの？」

「はい……」

由良はちらっと自分の母親を見た。「最後がどうなるのか気になるから」

「泣く」

と行天が唐突に言った。

「それでは明日」

多田は強引に話を切り上げ、田村家を辞した。

マンションのエレベーターのなかで行天は、

「あのガキは食わせものだと思う」

と言った。「ガキはふつう、進んでハウス名作劇場のＤＶＤなんか見ない」

「たしかに、妙な感じではあったな」

多田も同意した。「あの母親は、『教育ママゴン』なんて単純なもんじゃないだろ。むしろ、息子にはあまり興味がないように俺には見えたぞ」

「ガキを塾に通わせる親は、みんな教育ママゴンだ」

行天は交通渋滞に巻きこまれて以来、塾通いを悪と決めつけているようだ。

畑のなかに出現した何棟もの高層マンションは、さびしく地平線に向かう恐竜の群れのようだった。屋上に取りつけられた赤いライトが、べつの星へ送る合図みたいに夜空に明滅する。

「そういえば行天、おまえでも泣くのか」

軽トラックのドアを開けたところで、多田はふと思いついて行天をからかった。行天は真剣な表情で、「もちろん」と言った。

「あの最終回で泣かない人間はいないでしょ」

由良が見ていたのは、『フランダースの犬』だった。

由良が食わせものであることは、すぐに判明した。塾のまえで待っていても、姿を現さなかったのだ。

「勝手に帰っちゃったのか？」

「ノコベンさせられてるんじゃないの」

行天はそう言い、ふらりとどこかへ行ってしまった。多田は、「ノコベン」ってなんだっけと考えながら、なおも由良がビルから出てくるのを待った。そうか、「居残り勉強」かと思い当たる。なつかしい言葉だなと思った。

「見つけたよ」

行天はすぐに、由良の耳を引っ張りながら戻ってきた。ふてくされた由良は、コンビニで売っている「からあげくん」を手に持っていた。

「業務用エレベーターで、俺たちの目を盗んで外に出たらしい」

行天の説明を聞き、多田は由良に微笑みかけた。

「手間をかけさせないでいただけますかね」

「俺は迎えなんて頼んでない」

由良はからあげくんの袋を道に捨てた。行天の手の甲に筋が浮いたので、多田は急いで袋を拾い、自分のポケットにつっこんだ。

「さあさあ、帰るぞ由良公」

「なんだよ、由良公って」

由良は行天の手を振り払い、多田が指した軽トラックを見た。「これに乗んの？　友だちに見られたら笑われちゃうよ」

「なぜだ」

「だせえもん」

「働く車のかっこよさがわからんとは、まだまだガキだな」

多田はさっさと運転席につき、シートベルトをしめた。行天が由良を乱暴に抱えあげ、助手席に無理矢理二人で座った。

「これ、二人乗りじゃん」

半ば行天の膝のうえに腰かける形になった由良は、居心地悪そうに身じろぎした。

「あんたは『一人』に勘定されない」

行天は軽トラックが動きだすと同時に、さっそく煙草を吸いはじめた。由良の顔に向けて煙を吐きかける。こいつ、子ども相手に本気でいらついてやがる。と多田はおかしく思った。

「遅くまで大変だな」

友好の気持ちを態度で示そうと、多田は由良に話しかけた。「バスで通ってるのか？」

「そうだよ」

駅前から林田町までは、車で三十分弱かかる。その道のりを、小学生が週に何度もバスで通うからには、由良はよっぽど将来有望なのだろう。

「由良公は勉強して、なにになりたいんだ？」

「少なくとも便利屋じゃないことはたしかだね」

友好条約は締結に至らなかった。「かわいくねえガキ」と多田はつぶやき、行天は少し笑った。車内は静かになった。

信号で軽トラックが止まり、由良が転がらないよう、行天が左手で腹を支えた。空いた右手で、備えつけの灰皿を引きだす。

「すげえ傷」

と由良が言った。「なにそれ。ちゃんとつながってるの？」

行天よりも、多田のほうが反応が早かった。ハンドルに拳《こぶし》を叩きつける。行天と由良が、驚いたように自分を見たのがわかった。

「こいつの指のことは言うな」

昼のあいだから低く言葉を押しだす。由良はおびえて黙ってしまった。それからは会話もなかった。

マンションの部屋のまえまで、由良を送りとどけた。由良は自分で玄関の鍵を開け、振り向きもせず多田と行天の鼻先でドアを閉ざした。ちらりと見えた部屋には火の気がなく、静まりかえって暗かった。

「ガキ相手に本気で怒るなよ」

帰りの車のなかで、行天はそう言った。「この指は、もう元通りに動くんだし」

一度断ち切られたものが、元通りになどなるわけがない。

行天は昔もいまも、多田を責めたりはしなかった。しかし多田は知っていた。切断の原因が、本当は自分にあったのだということを。

由良との仲は、険悪なままだった。

何回目かの夜、業務用エレベーターのまえで待ちかまえていた多田と行天に、由良は言った。

「ねえ、俺は一人で帰れるよ。いままでだって、そうしてきたんだもん。母さんには、『便利屋さんに送ってもらってる』って言っとくから、それでいいだろ」

「そうはいかない」

多田は由良の背負った鞄を持ってやった。小学生が持つにはずいぶん重い。蓋のすきまから、何冊もの分厚いテキストが入っているのが見えた。

「お母さんは、由良公のことを心配してるんだ。悪いおっさんにさらわれたり、いたずらされたりするんじゃないかとな」

「悪いおっさんってだれのこと？」

「少なくとも俺じゃないのはたしかだな」

由良はフンと鼻を鳴らした。

「乗れよ」

多田は由良を小突いて、軽トラックへうながした。「俺は、由良公を無事に家まで届けます、とお母さんと約束した。約束は守らないといけない」

由良は行天の膝に尻をひっかけるようにして座り、しばらく黙って車の窓から外を眺めていた。流れ去る暗い景色を。

「母さんは、俺を心配してるんじゃないよ。俺に興味なんかないんだから」

やがて由良は言った。「同じマンションのやつらは、親やお手伝いさんが塾の送り迎えをしてるんだ。母さんはそれを知って、見栄を張りたくなっただけだ。『うちだって、息子の迎えを頼むお金ぐらいある』ってことを、近所に見せたいだけだよ」

「殺伐としてるんだなあ」

多田は感心してみせた。小学生のときに、こんなうがった考えができただろうか。できなかったな、と多田は思う。小学生の多田が考えていたことなど、「今日の晩飯なんだろう」と「明日の給食なにかな」だけだった気がする。ばかみたいだ。というより、まるっきりのばかだった。

「まあ鬱々と悩めよ」

多田は車の窓を開け、ラッキーストライクを吸った。雨が音もなく降りはじめていた。いつのまにか本格的に梅雨に入ったのだ。

「悩み慣れておけば、大人になってもつらくないかもしれないしな」

「子どものまえで煙草はやめようとか、そういう気づかいはないわけ」

と由良が言った。

「ないね」

多田は一応、開いた窓に向けて息を吐いた。「美しい肺を煙で汚したまえ、少年よ。それが生きるということだ」

「ばっかみたい」

由良はダッシュボードを蹴りあげる。それまで無言だった行天が、

「犬のアニメはどこまで進んだ？」

と聞いた。

「じじいが死んだ」

「ふうん。じゃ、もうすぐ終わりだね」

行天は穏やかに問いを重ねる。「あのアニメのどこが好き？」

「ネロに親がいないところ」

と由良は答えた。

別れぎわ、行天はいつ多田の尻ポケットからすり取ったものやら、由良に多田便利軒の名刺を渡した。

「なんかあったら、電話して」

行天が自分からだれかに歩み寄ろうとするなど、めずらしいことだった。由良は名刺をちらりと見、かたわらの靴箱のうえにすぐに放り投げた。

おやすみもなく、玄関のドアはいつもどおりそっけなく閉まった。

「いつまでたっても打ち解けないガキだ」

多田もさすがにあきれ、事務所へ帰る道すがら、行天に愚痴った。

「健全でいいじゃない」

と行天は言った。

「健全？」

「あやしげな大人に打ち解けようとしないのは、子どもとして健全でしょ」

言われてみればそうかもしれない、と多田は納得した。

「おまえにはガキがいるんだったな」

多田はため息をつく。「俺はだめだ。育児には向いてない」

「子どもに関しては、種付けまでしか関知してないんだけど」

行天は首をかしげた。「育児に向いてるか、俺？」

「最悪だな、おまえ」

子どもたちは、親の愛情と保護を待っている。この世にそれしか食べ物がないかのように、いつも腹をすかして貪欲に求めている。それなのに、彼らに与えられるものは少ない。行天も、由良の母親も、自分の子どもをいないもののように扱い、ろくに注意を払おうとしていないように見える。

多田はそれをいらだたしく感じ、すぐに、「俺はひがんでいるんだ」と思った。

かつて多田も、愛情を注ぐチャンスを与えられたことがあったのだ。それを自分の不注意で摘み取ってしまったのに、他人の子についてなにか言えるような立場にはない。

今回の依頼を受けるまで、自分でも気づいていなかったが、多田は子どもが苦手だった。だいなしにし、取り返しがつかないほど壊してしまったもののことを、考えずにはいられなかったから。

「俺も思ったことがあるよ」

行天がぽつりとつぶやいた。「あのアニメを見て、親がいないってなんてすばらしいんだろうと思った」

だからおまえは、子どもと会おうとしないのか？

多田は、そう聞こうとしてやめた。かわりにべつのことを尋ねた。

「ルーベンスの絵のまえで、犬と死ぬはめになってもか？」

「あれはハッピーエンドでしょ」

もちろん、由良から事務所に連絡が入ることはなかった。


横中バスのなかで、由良を見かけたのは偶然だった。

梅雨もそろそろ終わりに近づき、湿度と高まる気温でバスの床はべたついていた。多田は曇り空の日を狙い、草むしりを終えてきたところだった。夕方のバスは、駅前まで買い物に行くひとで混みあっている。

軽トラックは、塾の迎えがない日に合わせ、スピード車検に出していた。今日、行天が取りにいっているはずだ。行天の運転に任せるのは多大な不安があった。せっかく車検に出したのに、廃車にしなければならなくなるかもしれない。だが、多田便利軒は人手不足だ。夜には由良を送るために軽トラックが必要になるのだから、行天に頼むしかなかった。

そういうわけで、林田町から駅前へ通じる路線バスに途中乗車した多田は、後ろのほうの一人がけの席にいる由良を見つけた。見慣れた塾用の鞄を膝にのせ、由良はおとなしく座っていた。声をかけようとして、多田はとどまった。咄嗟《とっさ》に、立っている乗客のあいだに身を隠す。

由良はあたりをさりげなくうかがい、自分に注目しているものがいないことをたしかめると、鞄に手をつっこんだ。指の長さほどのなにかを取りだす。由良は上半身を少しかがめ、それを持ったままの手を、座面の裏側にのばした。次に由良がもとの体勢に戻ったときには、手にはなにも握られていなかった。

「なにしてんだ、あいつ」

多田は眉を寄せる。暗い直感がはたらいた。

バスがまほろ駅前に着くと、多田は由良に見とがめられぬうちにさっさと降りた。建物の陰で、乗客がすべて降りるのをやり過ごす。由良は塾のまえで会った友だちと、ほがらかに笑いながらビルに入っていった。

「向坂《むこうさか》団地」と行き先の表示を変えたバスは、次の出番に備えて先ほどの場所に停まったままだった。多田がドアを叩くと、帽子を取ってくつろいでいた運転士が、すぐに自動扉を開けてくれた。

「すいません。さっき、このバスに忘れ物をしちゃったみたいで。探してもいいですか？」

「どうぞ」

許可を得て、多田はバスに乗りこんだ。運転士がこちらを見ていないことを確認し、由良が座っていた席の横にかがむ。

手探りすると、座面の裏になにかが貼りつけてあることがすぐにわかった。はがして、手のなかにあるものを凝視する。

「カロリーオフ」と印刷された、スティックタイプの砂糖だった。喫茶店やファミリーレストランに置かれている、よくある品だ。それに小さな両面テープがつけられていて、座面の裏に貼れるよう、簡単な細工がしてあった。

多田は注意深く、スティックの口の部分を眺めた。一度開けたものに、再び封をしたことは明らかだった。多田はスティックをもとのように座面の裏に戻した。

「見つかりましたか?」

気のよさそうな運転士が、バスを降りる多田に声をかけた。

「はい。どうも」

と多田は言った。

どうしたものかと思いながら、事務所までの道を歩いた。

「おかえり」

行天はもう帰っていて、多田が買い置きしておいたカップラーメンを勝手に食べていた。それがたとえカップラーメンだとしても、自分から食事をとるようになったのはいいことだ。多田も機械的に湯を沸かし、かやくを振り入れて三分待った。

「その液体スープは、あとから入れるんだよ」

「ああ」

「どうかしたの」

「ああ」

多田は、うまくほぐれなかった麺を口に運んだ。「軽トラはどうだった」

「問題なし」

と行天は間髪を入れずに言った。多田は食べ終わったカップラーメンを片づけ、駐車場へ愛車を見にいった。助手席のドアに大きなすり跡ができていた。

多田は事務所に戻り、

「行天。ちょっとここへ座れ」

と言った。非常にめずらしいことにトイレ掃除をしていた行天は、多田の向かいのソファに従順に腰を下ろした。

「道が狭くて、曲がりきれなかったんだよ」

と行天は言った。「それで、ブロック塀にガーッと」

「おまえの意見を聞きたい」

「天引きしていいよ」

「犯罪に加担しているやつを見かけたら、おまえどうする」

「放っとく」

「そうか」

「うん」

会話は途切れた。行天がおずおずと、「それだけ？」と聞いた。

「ああ」

多田は時間をたしかめた。「そろそろ由良を迎えにいかないとな」

軽トラックに乗りこんできた由良は、どうも元気がなかった。いつもの由良だったら、車のすり跡を見たら憎まれ口を叩くところなのに、行天にぐったりと身を預けている。

「なんだかあんた、熱くない？」

抱えた由良の頭に顎をのせ、行天はがくがくと子どもの体を揺さぶった。

「やめろよ」

由良がだるそうに身をよじる。「頭が痛いんだから」

多田はハンドルから片手を離し、由良の額に掌をあてた。熱がある。夕方はぴんしゃんしていたようだったのに、急に発熱するところが子どもだ。気がかりはひとまず脇に置いて、多田は超特急でマンションまで運転した。

由良は玄関先で多田と行天を閉めだそうとしたのだが、多田は強引に部屋にあがった。

「ご両親はまだ帰らないのか」

「いつも十一時ぐらいだよ」

それでも、リビングもキッチンもきちんと片づけられている。頑張って稼ぎ、家のこともちゃんとこなしてくれる親。たしかに義務をはたせばそれでいい、というものでもないが、と多田は思った。

どうやら由良は、親の愛情不足を内心で嘆くだけでは満足できないようだ。由良には由良の言い分があるのだろうが、割に合わないことをしでかしているらしいところからして、もしかしたらこいつは、ガキのころの俺よりばかかもしれないぞ、と多田は思いはじめていた。

親が帰るまで少し待ってみることにし、多田は由良を寝かしつけた。冷凍庫から保冷材を探し、洗面所にあったタオルにくるんで首筋にあててやる。

「飯は食ったのか？」

ベッドサイドに膝をつき、赤らんだ由良の顔を覗きこむ。

「塾に行くまえに」

「そうか。じゃ、腹がへったらこれを食え」

うさぎの形に皮をむいたリンゴを、皿に盛ってベッドの空いたスペースにのせた。

「勝手にひとんちのリンゴをむかないでよ」

「病気のときには、これと決まってる」

多田は立ちあがった。「リビングにいるから、苦しかったら呼べ」

行天は他人の家のリビングでくつろぎ、『フランダースの犬』のＤＶＤを見ていた。

「どう？」

「けっこう熱があるな。すぐ下がると思うが」

行天は最終回を再生したらしい。

「おまえ、いきなりこれはないだろ。精神的打撃が大きすぎるぞ」

「いまさらなに言ってんの。オープニング曲の映像から、この最後はすでに暗示されてたんだから」

並んで床に座り、他人の家のティッシュペーパーを大量に消費しているところへ、由良の母親が帰ってきた。泣きはらした目をした多田に出迎えられ、母親はびっくりしたようだったが、息子が熱を出したと聞いても、部屋へ様子を見にいくこともしなかった。

「そうですか。まあ、お世話をおかけしてすみません」

あいかわらず抑揚を欠いた口調で、紅茶の準備をはじめようとする。

「もうおいとましますから、お気づかいなく」

由良が、「母親は自分に興味などない」と言ったのは、案外的を射た発言だったのかもしれない。変な親だ、と多田は思ったが、親子関係はいろいろだからと、余計な口出しはしなかった。

「帰るまえに、由良くんの顔を見ていきます」

そう断って、子ども部屋のドアを開けた。薄暗い部屋のなかに、行天が背を向けて突っ立っていた。

「いつのまに……」

由良の母親が帰ってくるのとほぼ同時に、行天はトカゲのようにするりと姿を消していたのだ。

由良は眠ってしまったようで、規則正しい呼吸音が聞こえる。皿のリンゴは少し減っていた。

「こいつ、ちょっと糖分とりすぎじゃないかな」

行天は戸口のほうを振り返り、持っていた透明のビニール袋を多田に向かってかざしてみせた。

ビニール袋のなかには、スティックタイプの砂糖がいっぱい入っていた。

「それ、どこにあった」

驚いて尋ねると、行天は黙って学習机の一番下の引き出しを指した。

「家捜しするなよ」

多田はビニール袋をひったくり、引き出しに戻す。

「いいの？　放っておいて」

「おまえも言っただろ。放っておくって」

「糖尿病になっちゃうよ」

「安心しろ。砂糖じゃないから大丈夫だ」

「知ってる」

多田はいらいらと行天の腕を引っ張り、部屋から出ようとした。

「なにが言いたいんだ、おまえは」

「べつに。なんにも」

行天はにやにやした。

駅前に戻る軽トラックのなかで、多田は自分に言い聞かせるようにつぶやいた。

「俺は、ばかなガキとは深くかかわりあいになりたくない」

「ふうん」

行天はやっぱりにやにやしていた。

そうだ、絶対にかかわらないぞと、多田は心に決めた。

由良から事務所に電話があったのは翌日の昼過ぎのことで、多田の決意は早くも揺らぎはじめた。

電話を受けたのは行天だった。

「多田便利軒」

愛想もやる気もない声で応対した行天は、ソファに寝転がったまま、「ああ、あんたか」と言った。

「具合はどう？」

その言葉で由良からだと気づいた多田は、電話を代わるように身振りで訴えたのだが、行天は無視した。

「そうなんだ。大変だね。え？　うーん、今日は忙しいから無理。子どもの依頼は受けてないし……ありゃ切れた」

行天は腕をのばして受話器を置いた。

「今日の俺たちの、どのへんが忙しいんだ？」

と多田は聞いた。行天は答えず、ソファのうえでもぞもぞと丸まった。

「なにかあったら電話しろと、おまえが由良に言ったんだぞ。由良はなんだって？」

「深くかかわりたくないいって言ったのはあんたでしょ」

「行天」

多田は、行天のちょんまげをつかんで引っ張りあげた。「多田便利軒は、依頼人の年齢性別を問わず、仕事は極力引き受ける方針だ」

行天はしぶしぶとソファに身を起こし、前髪を結び直した。

「熱が下がんなくて、外に出られないんだって。なんか、『俺のかわりにバスに乗ってほしい』とか言ってたけど？」

「大変じゃないか！」

事務所の机から、依頼書を挟んだファイルを取りだす。大急ぎで田村家の番号を探して電話したが、だれも出なかった。

自分で乗りにいったのだろうか。スティックシュガーを貼りつけるのは、塾に行く日だけではなかったのか。もし取引に穴をあけたら、由良はどうなるんだ？

多田はうろうろと事務所じゅうを練り歩いたが、打つ手はなにもない。行天はしばらくそんな多田を眺めていたが、つまらなそうにあくびして、またソファに横たわった。

由良が軽トラックに乗ってすぐ、

「昨日はどうした」

と多田は尋ねた。

「どうしたって、なんのこと？」

「ごまかすな。おまえがバスの座席に砂糖をくっつけてるのはわかってるんだ」

後ろからクラクションを鳴らされ、多田は混みあった駅前の道から軽トラックを発進させた。由良は黙っている。行天は由良を膝に抱え、楽しげに推移を見守っている。

「なにに首つっこんでんだか知らないが、後戻りできなくなるまではあっというまなんだぞ」

軽トラックはまほろ市郊外へ進路を取る。両側が畑の、ゆるい下り坂にさしかかった。街灯もなく、道は暗い。林田町のマンション群の影が、朽ちた塔のように、遠く前方の夜空に浮かびあがっていた。

ヘッドライトも点けていない白いセダンが、背後から猛スピードで走り寄ってくる。どこの走り屋だ、と多田は思い、軽トラックの速度を少し落とした。セダンは対向車線に大幅にはみだしながら、追い越しをかけてきた。

「昨日は座席に砂糖を貼れたのか」

「あんたに関係ないだろ」

その瞬間、フロントガラス一面に、蜘蛛の巣みたいな白く細かいヒビが入った。脳の片隅がやや遅れて、高い破裂音が響いたことを認識した。

「なっ……」

視界がきかず、多田は反射的にブレーキを強く踏む。軽トラックは畑の道の真ん中で停車した。

「なんじゃこりゃあ!」

多田は呆然とつぶやき、

「それ、だれの真似？　全然似てない」

と行天は笑った。

「だれの真似でもない。俺の正直な気持ちだ」

助手席に向かって抗議する。「この状況でなにを言うんだおまえは。どういう神経してるんだおまえは」

「落ち着いてよ」

行天は助手席の床に転がった金属を拾いあげた。「たぶんライフルだな」

「実弾か？」

「いや。でも、実弾も撃てるほど改造されてるみたい」

多田は腕でヒビだらけのフロントガラスを払い落とし、視界を確保した。狙撃した車は当然、すでに走り去ったあとだった。さえぎるもののなくなったフロント部分から、湿った夜風がやるせなく吹きこんでくる。

「おい、由良公。大丈夫か？」

叫びもしないとは気丈なガキだ。そう思った多田が声をかけると、由良はやっと硬直を解き、顔をくしゃくしゃにゆがめた。

「あ、泣いた泣いたー」

と、行天が囃した。

「泣きたいのはこっちだ」

と、多田はぼやいた。「車検に出したばっかりだってのに」

「窓を開ける手間が省けていいじゃない」

しゃくりあげる由良を膝を揺らしてなだめながら、行天は煙草を吸いはじめた。多田もそれにならった。煙草でも吸わないことには、やっていられなかった。

二十分後、フロントガラスのない軽トラックでまほろ市の中心部に逆戻りした多田と行天と由良は、ファミリーレストランのボックス席に陣取っていた。

「考え得るかぎり、ここがまほろ市で一番安全な場所だ」

多田が言うと、行天と由良もうなずいて同意を示した。そのファミリーレストランはまほろ警察署の真ん前にあり、ボックス席からは、長い棒を持って署のエントランスで警戒にあたる警察官の姿を見ることができた。

「さあ由良公。なにをやらかしたんだ。あらいざらい白状しろ」

由良はまだ青ざめたまま、飲み放題のジュースのコップを手にうつむいている。多田は疲労を覚え、座席の背に身を預けた。テーブルの下の窮屈なスペースで脚を組みかえる。

「おまえなあ、俺のかわいい軽トラちゃんが、無惨な姿になったんだぞ。それでもまだだんまりを決めこむつもりか」

「助けてって言ってみな」

多田の横から、行天が静かに由良をうながした。「多田がなんとかしてくれる。おせっかいだから」

おせっかいは余計だ、と多田は言おうとしたが、店内に流れる音楽にまぎれて消えそうなほど小さな声で、由良が「たすけて」と言ったので、黙ってそちらに視線を向けた。

「こんなことになるとは思わなかったんだ」

「順を追って話してみろよ」

由良はまた泣きそうになっていたが、手の甲で目もとをぬぐってこらえた。

「先月、マンションの近くの公園で男に声をかけられた。まほろまでのバスの定期を持ってるか、って」

「どんな男だ」

「よく覚えてないけど、若い」

「それで？」

「持ってるって答えたら、バイトしないかと言われた。『林田町を夕方五時半に出るバスに、平日に毎日乗る。乗ったら、進行方向に向かって右側の、一番後ろの一人がけの席に座る。だれにも見られないように、一日一個、座席の下にこれを貼る。それだけだ。どうだ、簡単だろ』って。スティックシュガーがいっぱい入ったビニール袋を渡された」

「いくつ入ってるか数えたか？」

「五十個だった。いま、残りは二十個ちょっと」

「いくらで引き受けたんだ」

「五千円」

「安いな！」

と、多田と行天は同時に叫んだ。

「そうかな」

と由良は不満そうに言った。

「売人も、いいところに目をつけたねえ」

行天は感心しきりだ。「人件費は安くあがるし、小学生ならだれにも疑われない」

「クスリが欲しいやつは、折り返し向坂団地ゆきになるバスの車内で、貼りつけてあるブツを手に入れる、か……」

「ちょっと待って」

と行天はテーブルに頬杖をついた。「その方法だと、味をしめた客が、金を払わずにクスリだけ持ってっちゃう可能性もあるんじゃないかな」

「それはたぶんないと思う」

と由良は言った。「男は、『さぼったらすぐにわかるぞ』って言ってたから。俺が貼りつけたあとに、きっと見張り役が乗るんだよ」

林田町もまほろ駅前も、バスの始発地点だ。時間を見計らってバス停に並んでおけば、目当ての席に座ることはたやすい。

「その見張り役も小学生だったりしてな」

多田は冗談のつもりで言ったのだが、由良は「そうかもしれない」と、真面目な表情でうなずいた。

「俺の乗ったバスが着くころに、塾でまえのクラスの授業が終わるんだ。学年はちがっても、あの塾からは毎日必ず小学生が出てきて、家に帰るためにバスに乗る」

「バ､イ､ト､中の小学生は、クスリの貼ってある席に座って、合い言葉かなにかで客かどうかをたしかめる。小学生が降りたあと、客はその席に座り、貼ってあるクスリを手に入れる、というわけだね」

行天がクスリ受け渡しのからくりを整理した。

「えげつねえことを考えつくなあ」

多田は煮詰まったコーヒーをすすった。「で、由良公は昨日、風邪のせいでバ､イ､ト､をさぼったんだな」

「うん」

「そうしたら早速、荒っぽい脅しをかけてきやがったと」

「うん」

「『うん』じゃないんだよ、このアホガキが!」

多田は由良を怒鳴りつけ、テーブルを掌で叩いた。由良は肩を揺らし、店内の客の目がいっせいに集まった。

「ただの砂糖じゃないことぐらい、すぐにわかっただろ」

多田は視線を気にして声をひそめた。「なんでほいほい引き受けたりするんだ」

「やばいものだろうなとは思ったけど、おもしろそうだったから」

由良はとうとう涙をあふれさせた。「俺、警察に行くよ」

「まあまあ」

行天がのんびりと言った。「相手はあんたの顔も住んでるところも知ってるんだよ？　警察に行ったって、あんたが危険なことに変わりはないままだ」

「じゃあ、どうすればいいの」

「残った砂糖を俺に渡してくれればいい」

「待て待て待て」

多田は話に割って入った。「行天。なにを考えてる」

「ちょっと小遣い稼ぎをしようかなあと」

「追いだすぞ、おまえは」

多田は舌打ちし、由良に向き直った。「いいか、由良。俺がなんとかする。連絡を入れるまで、家から一歩も出るな。学校にも塾にも行っちゃだめだ。母親には、風邪がぶりかえしたとでも言っておけ。できるか？」

「できる。母さんは気にしないよ」

「クスリは家にあるんだな？」

「うん」

「そのままにして触るな」

「わかった」

風通しのいい軽トラックで、由良をマンションまで送った。両親はさすがにもう帰宅しているようだった。

「ただいま」

と言う由良の声がドアの向こうに消え、チェーンをかける音がするのを確認してから、多田と行天はエレベーターに乗って地上に降りた。

「まずはシンちゃんを探すぞ」

と多田は宣言した。

「はいはい」

と行天は答え、軽い足取りで多田のあとをついてきた。


駅裏で客待ちをしていたハイシーは、夜中に突然、「話を聞かせてほしい」と押しかけた多田に腹を立てるでもなく、情報を提供してくれた。

「シンちゃんの連絡先を知ってるかい」

「携帯を変えたみたいで、いまのは知らない。急ぎなの？」

ハイシーは、なにやら不穏なうごめきが感じられる平屋のなかに向かって、「ルルー、ルルー」と声をかけた。

「なあにぃ？」

荒い息に混じって、ルルが律儀に返事する。

「シンちゃんの電話番号知ってる？」

「知らないわよぅ。別れたオトコのことなんてぇ」

「ごめん、邪魔した」

立ち去ろうとした多田が、よっぽど悄然として見えたのだろう。ハイシーが背後で急いで言い足した。

「なんだかよくわかんないけど、シンちゃんなら、たいがいはハコキューデパートの裏口あたりにいると思うよ」

このあいだ行天が目つぶしを食らわせたのも、たしかにハコキューデパートの近くだった。

「ありがとう、助かるよ」

翌日、ハイシーからの情報をもとに、多田と行天は一日中ハコキューデパートの裏口を見張った。

路上で安っぽい銀の指輪を売る白人。道行く中学生に声をかけ、古着屋の営業をする黒人。なれなれしく若い女の肩に手を置くキャッチセールスの男。得体の知れないアンケート用紙を手にうろつく中年女性。

まほろの大通りは、人種も年齢もさまざまなひとでにぎわっている。

多田と行天は、道ばたの植え込みに腰かけ、シンちゃんが現れるのを根気強く待った。交代でデパートのトイレに行き、食事はまたも、テイクアウトした囲炉裏屋のノリ弁ですませた。

夕方になって、今日はだめかと諦めかけたころ、シンちゃんはようやくデパートの裏口にやってきた。

「行け、行天」

多田の言葉に、行天は獲物を見つけた猟犬のごとくシンちゃんに駆け寄っていく。あいつ、なんだかんだ言ってシンちゃんのこと気に入ってるのかな、と多田は思った。

多田が近づいたときには、シンちゃんは行天に親しげに肩を抱かれ、「なんだよお」と半べそをかいていた。

「ちょっと聞きたいことがある」

「なんであんたたち、俺につきまとうわけ」

シンちゃんは鼻をすすった。「俺は言いつけどおり、ルルとは手を切った。もう放っておいてくれよ」

「無駄に空気を消費すんのはやめな」

と行天が言うと、シンちゃんは黙った。

「最近、おまえの縄張りを荒らしてる売人がいるだろ。連絡先を知ってるか？」

「なんでそんなこと聞くんだよ」

行天が、

「いまは効率よく空気を使うときだよ」

と脅すと、シンちゃんはあっさり、「知ってる」と言った。

「生意気なやつでさあ、どういう方法でヤクをさばいてんのか、絶対に言わねえんだ」

「俺がお仕置きしてやろう」

と多田は請け合った。「だから名前と連絡先を教えろ」

「星《ほし》って呼ばれてるけど、本名かどうかはわからねえ。携帯は……これ」

シンちゃんはポケットから携帯電話を取りだし、画面にひとつの番号を表示した。多田はその数字を手早く自分の携帯に打ちこんだ。

目配せすると、行天がシンちゃんから手を離す。シンちゃんは乱れたシャツを神経質そうに整え、

「なあ、ホントにお仕置きしてくれんのか?」

と聞いてきた。

「任せろ。得意だ」

多田はぞんざいに手を振った。「行っていいぞ」

シンちゃんを見送ってから、すぐに星の番号を呼びだした。また植え込みに座る。五コール目で、若い男の声が電話に出た。

「だれだ」

「糖尿病になっちゃったもんですけど、クスリのことでちょっとご相談が」

と多田は言った。横で行天が声もなく笑った。

「ふざけるのはよせよ」

星は優しい口調でたしなめた。「おまえ、あのガキにくっついてる便利屋だな」

「お世話になってます。うちの軽トラのフロントガラスを、氷砂糖みたいにしてくださっちゃって」

「おまえの骨をザラメみたいにしてやろうか？」

多田の持つ携帯に耳を寄せていた行天が、「いいねいいね」とつぶやき足踏みした。

「ねえ、星さん。取引しませんか」

「断る」

通話は切れた。多田はひるまず、すぐにもう一度かけた。

「ブツは俺が持ってることを忘れるな」

相手が出ると、多田は揺さぶりをかけた。「お互い客商売じゃないですか。信用第一。そうでしょ？」

「俺がガキの身元を知ってることを忘れるな」

と星は冷ややかに言う。

「もちろんです。俺は顧客を失いたくない。あなたは砂糖を取り返したい。利害は一致してる」

「条件は」

「あの子からは、手を引いてほしいんです。そう約束してくれたら、残りの砂糖はきちんとお返ししますから」

「いやだと言ったら？」

「シンちゃんに、バスに乗ったら必ず座席の下をたしかめろと言います。『横中バスは糖尿病の温床だ』と、警察に告げ口しちゃってもいいかもなあ」

「あのガキからは手を引こう」

星は笑ったようだった。「余計なことを言わないように、よく釘をさしとけよ」

「もちろんです」

「砂糖は三十分後に、駅前の市営駐車場に持ってこい」

「それはいやだな」

あせりが声に出ないように注意しながら言う。「まほろ警察署のまえでなら会ってもいいですけど」

電話は再び切れた。多田は今度はかけ直さず、

「どうやって受け渡したらいいと思う」

と行天に意見を求めた。

「考えてなかったの」

行天があきれたように首を振った。電話が鳴る。

「星さん、ちょっと短気すぎやしませんか。お疲れなのかな。糖分をとったほうがいいですよ」

「決まったか?」

どこかで見ているのではないかと思うほど、星には余裕があった。動揺したら負けだと、多田は腹にぐっと力をこめた。行天が手に持っていた弁当屋のビニール袋を指した。なるほど、とうなずく。

「駅前の大通りにある囲炉裏屋、わかります？　明日の昼、そこでノリ弁十八個とシャケ弁二十三個を買ってください」

多すぎ、と行天が小声で言った。多田はかまわずにつづけた。精一杯のいやがらせだ。

「そうしたら、砂糖も一緒に渡すように手配しときますから」

「わかった」

星の声は嫌味なほど平坦なままだった。「お互い、仕事の邪魔をしないで、これからも仲良くしたいもんだな便利屋」

「本当ですね。じゃ、さよなら」

「交渉成立？」

と行天が尋ねた。

「ああ」

多田は田村家に電話をかけ、連絡を待っていたらしい由良に、「これから行く。玄関のまえでまた電話するから、それまでだれが来ても開けるな」と指示した。

あたりはすっかり夜になっていた。軽トラックを飛ばし、林田町に向かう。奔走しているあいだに、どうやら梅雨は明けたらしく、雨が降っていないのが幸いだった。

「あのガキはこれで助かるだろうけど」

行天が助手席で、吹きこむ風に目をすがめながら言った。「バイトにいそしんでるほかの小学生はどうなるの」

「そこまで面倒見られるかよ」

多田もほとんど目を開けずに運転していた。「犯罪に加担するやつのことは放っておけって、おまえが言ったんだろ」

「あんたは正義の味方にはなれないね」

「いいんだ。俺は便利屋なんだから」

小学生の由良にとっては、病気でもないのに一人で一日、部屋にこもっていることが退屈でしかたなかったらしい。ビニール袋に入ったスティックシュガーを多田に渡しながら、

「もうＤＶＤも見飽きちゃったよ」

と言った。

「明日からは学校に行っていいぞ」

「『フランダースの犬』、最終回まで見た？」

と行天が聞いた。

「見たよ」

「泣いたでしょ」

「泣かないよ。かっこわりい」

由良はいつもどおりの小生意気な少年に戻っていた。

「変だなあ。ホントに泣いてない？」

「じゃあな、由良公。また月曜に塾まで迎えにいくからな」

多田はぶつぶつ言っている行天を引きずって、部屋を出た。由良が玄関のドアを閉めながら、

「ちょっと泣きそうにはなったけど」

と言ったのが聞こえた。

囲炉裏屋の主人は、

「なんなの、この砂糖は。多田ちゃん、なんかまずいことになってるんじゃないだろうね」

と渋ったが、大量の弁当を買いにくるものがいると伝えると、

「いいよ、任せときな」

と態度を急変させてビニール袋を引き受けた。

ノリ弁十八個とシャケ弁二十三個を買いにきたのは、小学生の女の子二人だったと、多田はあとになって囲炉裏屋の主人から聞いた。

正義の味方ではないし、命は惜しいので、多田はそれについては特に考えないようにした。

行天は「ふうん」と言っただけだった。


週末に、由良の母親から電話があった。

「依頼は次で最後にしていただきたいんです」

という内容だった。星からのいやがらせでも受けたのかと、

「なにかあったんですか」

と聞いたが、由良の母親の反応は希薄なものだった。

「は？　隣の家のかたが、今度から同じ塾に通うことになって、由良も一緒に車で送り迎えしようと言ってくださったんですけど……あの、なにかって？」

「いえ、それならいいんです」

月曜日が、由良と会う最後の日になった。

由良はいつものとおり、助手席の行天の膝に座った。

「まだガラスを入れてないのかよ」

「金がないんだ。もう夏だし、しばらくこのままでいいだろ」

「だせえ」

由良はフンと鼻を鳴らした。

マンションのまえに着いても、由良はすぐには軽トラックから降りようとしなかった。

「別れの言葉を考えてんの？」

行天がうきうきした様子で尋ねる。

「ちげえよ」

からかわれた由良は、むきになって答えた。「『フランダースの犬』について考えてたんだよ」

「ふうん。どんなこと？」

多田と行天は、煙草を吸いながら由良の言葉を待った。由良は長くためらっていたが、やがて小さな声で言った。

「親が最初からいないのと、親に無視されつづけるのと、どっちがましかってことだよ」

「おまえの母親は」

と多田は考えを述べた。「おまえを無視してるわけじゃない。ただ、おまえが期待するのとは興味のありかがちょっとずれてるだけだ」

由良は黙って軽トラックから外に出た。エレベーターのなかでも、三人とも押し黙ったままだった。

玄関の鍵を開ける由良の手もとを、多田はじっと見ていた。そして言った。

「由良公。おまえはあのアニメを、ハッピーエンドだと思うか？」

「思わないよ」

由良は振り返った。「だって死んじゃうじゃないか」

「俺も思わない」

多田は由良のまえにしゃがんだ。「死んだら全部終わりだからな」

「生きてればやり直せるって言いたいの？」

由良は馬鹿にしたような笑みを浮かべてみせた。

「いや。やり直せることなんかほとんどない」

多田は目を伏せた。行天が後ろで冷たい部分を抱え、自分たちを眺めているのを感じた。多田はまた視線を上げ、由良をまっすぐに見据えた。

「いくら期待しても、おまえの親が、おまえの望む形で愛してくれることはないだろう」

「そうだろうね」

由良はドアを開けて家に入ろうとした。

「聞けよ、由良」

多田はその手をつかみとめた。「だけど、まだだれかを愛するチャンスはある。与えられなかったものを、今度はちゃんと望んだ形で、おまえは新しくだれかに与えることができるんだ。そのチャンスは残されてる」

由良の手が多田から離れた。閉まりかけたドアに向かって、多田はつづけた。

「生きていれば、いつまでだって。それを忘れないでくれ」

ドアが完全に閉ざされる直前、由良がこちらを振り向き、ちょっとうなずくのが見えたような気がした。

「いいこと言うねえ」

と行天が言った。

「柄でもねえ」

多田は立ちあがる。「帰るぞ」

軽トラックは夜の町を快調に走った。行天のちょんまげが風に揺れる。

「あーあ。新しいガラスをはめるのに、いくらかかるんだ」

「今度は防弾にしようよ」

「差額を払うんなら、ご勝手に」

多田は言った。「助手席のドアの塗装代も天引きされるってこと、忘れないでくれ」

「生きていれば払いきれるかな」

行天は楽しそうに笑った。「いつかは」

山城町二丁目
バスのりば

四　走れ、便利屋

すべて、あとから聞いた話だ。

あの日、行天はひとを殺すつもりだったのだという。

多田はいつも、気づくのが遅いのだ。


夢のなかではたしかに涙を流していたのに、開けた目は乾いたままだった。汗まみれの顔を掌でぬぐい、多田はベッドに身を起こした。

暑い季節がめぐってくると、ふだんは眠らせている記憶が炙《あぶ》りだされる。

街の灯りが差しこむ夜の事務所は、異形の魚が泳ぐ海の底のようにほの青い。大通りで一晩中騒ぐ輩《やから》の声が、開け放たれた窓からぬるい風に乗って届いた。

事務所前の道路を走り抜ける車のヘッドライトが、壁から天井にかけてを舐めるように照らす。多田は、その白い光の帯を目で追った。応接スペースと居住空間とに室内を仕切るカーテンは、少しでも風を行き渡らせるために開けてある。光に導かれるままソファに視線を投げた多田は、行天が横になっていないことに気づいた。

ややためらったのち、

「起こしたか」

と問うと、ソファの背にだらしなく身を預けて座っていた行天が、多田のほうに顔を向けた。

「眠れるわけないでしょ、こう暑いんじゃ」

行天はだるそうに煙草に火をつけた。「エアコンがない理由を教えてほしい。あんた、なにかの修行中なの？」

「金がない」

多田は端的に答えた。

「貧乏は心をすさませる」

行天の鼻と口から、盛大に煙があふれた。行天は、多田がうなされていたことには触れようとしなかった。

多田はベッドから降り立ち、小さな冷蔵庫を開けた。流れだす冷気をしばらく堪能してから、缶ビールを二本取る。振り返ると、行天はすでに煙草を消し、ソファに横たわっていた。近づいて、いつもながら地蔵のように硬直して目を閉じた姿を、注意深く見下ろす。タオルケットの下で、行天の胸元が規則正しく静かに上下しているのがわかった。

「寝てやがる」

多田はつぶやき、行天の右の首筋に押し当てるようにして、缶ビールを一本そっと置いた。自分のぶんのビールを一息に飲み干し、多田も再びベッドに寝そべる。

夢が訪れる気配は、その夜はもうなかった。

朝になって行天は、右肩をまわしながら、

「なんだろ。なんかこっちだけ凝ってる」

と言った。まちがいなく冷えが原因だ、と多田は思ったが、黙っておいた。黙って、床に転がっていた未開封の缶ビールを、応接用のローテーブルの下に足先で押しこんだ。

「今日のことだけどな、行天。やっぱりおまえ一人で案内してくれ」

チワワの元飼い主である佐瀬マリから、友だちに会いにまほろへ行くので、犬の新しい飼い主のところへもつれていってほしい、と電話があったのだ。

世間は夏休みのまっただなかだ。世間とは関係なく、いつでも夏休みまっただなかの行天は、もちろん「えぇー」と文句を言った。

「なんで俺が子守りと犬見物なわけ。あんたは？」

「俺は、午前中にちょっと用がある。そのあとは山城町の岡さんのところだ」

「用って？」

と行天が聞いた。多田は顔を洗ってひげを剃り、洗濯したてのTシャツに着替えた。

「ルルには連絡してある。ちゃんとマリちゃんの面倒を見ろよ。終わったら事務所で留守番してくれ。いいな」

まだ「えぇー」と言っている行天を置いて、事務所を出た。軽トラックを、まほろ市郊外の丘陵地帯へ走らせる。

蝉の声。フロントガラスを流れる緑濃い木々の影。青い空に浮かぶ城塞めいた雲。

見たくないとどんなに願っても夢の訪《おとな》いがつづくように、今年もまた、夏が来たのだ。

多田は、市営墓地の駐車場に軽トラックを乗り入れた。タイヤが砂利を弾き、細い骨が砕けるときと同じ音を立てた。

盆休みに入り、墓地のあちこちに老人や家族連れの姿があった。「にぎわってるな」と毎年のことだが多田は思い、墓場なのに「にぎわっている」と表現するのは変かと、これまた毎年のことだが打ち消した。「にぎわう」に代わる言葉はなにも浮かばず、思考も感情も空白になった。

手桶も線香も花も持たないまま、多田は墓石の林立するゆるやかな斜面を登っていった。日差しをさえぎるものはなく、汗がこめかみから顎を伝ってTシャツの襟を濡らした。乾いた墓石が作る黒い影が、多田の進路を指し示すように、ひとつの方角へ向けて地面を焦がしていた。

示されずとも、覚えている。

多田は小さな墓石のまえに立った。なめらかで丸みのある、白っぽい石だ。多田が選んだ。石の表面には、なにも刻まれていない。多田が、刻まなくていいと言ったのだ。

狭い区画内に、夏草はそれほど繁ってはいなかった。墓石のまえに二つに分けて挿された花が、まだ色を残して立ち枯れていた。

多田は一年に一度しかここに来ない。だが彼女は先月も来た、と多田は見て取った。今月も、明日になったら彼女は来る。たぶん来月の明日も。

区画内の草を簡単にむしり、迷った末に枯れた花を抜き取った。自分がいた痕跡を、多田はなるべく残したくなかった。忌日ごとに罪の記憶と向きあいにくる彼女に、同じように忘れられずにいるままの自分の気配を、感じさせるわけにはいかなかったからだ。

いや、嘘だ、と多田は思う。それならばどうして俺は、彼女が頻繁にここを訪れていることを知って、安堵しているんだ。古い手紙を鍵のかからない引き出しにいつまでも取っておくように、これ見よがしに墓を綺麗にしたりするんだ。

多田はもう、自分の本心がどこにあるのか、わからなくなっていた。

忘れよう、あれは事故だったんだ。だれかが悪いわけではなかったのだと、きみも俺も知ってるじゃないか。俺も自分を赦す。だからきみも、きみ自身を赦してくれ。

そう伝えたいのも本当だ。だが同時に、未だに毎月墓地へ足を運ぶ彼女のことを考えると、暗い喜びを覚えるのも本当だった。

自分と同じように、二度と心の底から幸せを感じることなく生きていく女がいる。

この地面の下に眠る、小さな容器に収められた白い骨。忘れるな。永遠に赦されるな。きみも、俺も。

手を合わせることも、頭を垂れることもせず、太陽が中天に近づくまで、多田はしばらく墓石のまえに立っていた。

ちょうどそのころ行天は、まほろ駅前の南口ロータリーで、マリと落ち合ったのだという。マリの証言によれば、行天は皺のない水色のTシャツを着て、髪の毛もちゃんととかしてあったそうだ。いつも洗い皺の寄ったシャツを羽織り、散髪して以来、寝ぐせで跳ね放題の頭をしているふだんの行天からすると、奇跡的なことだ。顧客に会うから、めずらしく一応は身なりに気をつかったのだろう。

マリは、夕暮れ時に一度会っただけの行天のことが、すぐにわかった。行天はマリのことがわからず、ロータリーの雑踏に揉まれながら、しばらくマリを遠くから眺めていたらしい。チワワのハナが、はじめてマリの家に来たときみたいだ。警戒心と疑問符がベタベタと貼りつけられているような顔。マリはおかしく思って、わざと知らんぷりをしていた。

ロータリーの端と端で膠着《こうちゃく》状態がつづき、しびれを切らしたマリがちょっと視線を向けると、行天は「よし」と言われた犬みたいに、勇んで近づいてきたそうだ。

「……ハナちゃん?」

と行天はマリに声をかけた。

「それはチワワの名前です」

とマリは言った。

それから二人は、駅裏に向かって並んで歩いた。行天はほとんど無言だったが、小学生の歩調に合わせて、ゆっくり歩いたという。マリに言わせると、「変なひとだけど、こわくはなかった」そうだ。

すべて、あとから聞いた話だ。

多田は再び軽トラックを走らせ、昼過ぎに山城町の岡の家に到着した。岡は禿頭《とくとう》に汗を浮かべ、「もう辛抱ならん」と言った。

「このあいだなど、何分バスを待ったと思う？　二十三分だぞ。道が混んでいたわけでもないのに、二十三分！　横中は絶対に間引き運転をしている！」

それをなぜ、横浜中央交通株式会社ではなく俺に言う。なぜ春や秋ではなく極寒や猛暑の日に言う。だいたい、運行の実態を調べるのなら、正月や盆ではなく平日にしたほうが確実だということに、なぜ気づかない。

さまざまな思いが胸のうちに渦巻いたが、多田は黙ってバインダーを受け取った。庭の手入れなどしなくていいから、とにかくバスを見張っていろ、という依頼に応えるのが仕事だ。

炎天下のバス停のベンチに腰かけ、朦朧《もうろう》としながら道を眺める。岡の妻が気をきかせて、二リットルのウーロン茶のペットボトルと、麦わら帽子を差し入れしてくれた。ボトルに直接口をつけて、水分を補給する。いくら飲んでもすべて汗になり、尿意を覚えなかった。

何台ものバスが、多田のまえに停まって扉を開けた。運転士は、麦わら帽子をかぶってベンチから動かずにいる多田を怪訝そうに見、むなしく扉を閉めて走り去っていった。多田は手もとの用紙に、通過時刻を記入する。紙は汗ですっかりよれていた。

道の反対側で、まほろ駅から来たバスが停まった。二、三歳の女の子が、母親に抱えられてステップを降りる。すぐに歩きだそうとする女の子の手を、母親がつかんだ。車から娘をかばうように車道側に立った母親は、女の子と手をつないで、住宅街のほうに道を折れた。楽しそうになにごとかをしゃべっている親子。小さい娘に差し掛けられた日傘の影。つないだ掌とゆっくりした足取り。多田は二人の姿をぼんやりと目で追った。

灼けたアスファルトのうえで、透明の波がゆらゆらと揺れている。麦わら帽子の下に熱がこもり、脳天がひどく暑かった。

「あー、逃げ水」

と多田は一人で声に出して言い、もしや俺は生命の危機に瀕しているのではあるまいか、と思った。思ったところで意識が暗転した。

「熱中症ですね」

という女の声が遠くから聞こえ、

「しっかりしろ便利屋！」

という老人の声とともに、冷たい水が顔面にぶちまけられた。多田が驚いて目を開けると、からのバケツを抱えた岡が覗きこんでおり、

「気がついたか」

と満足そうにうなずいた。

多田は身を起こす。睡眠不足が祟《たた》ったのか、どうやらバス停のベンチを占拠してのびていたらしい。日の傾き具合からして、時間はそれほど経っていないようだった。

「このひとが教えてくれなかったら、日干しになってるところだったぞ」

岡が指すほうに視線をやると、先ほど見かけた母親と娘がいた。母親は、四十歳ぐらいだろうか。化粧をほとんどしていない地味な感じの女だったが、肌がとても綺麗だった。まだ幼稚園にも行っていない年ごろの娘は、そんな母親の脚にまといつき、陰からちらちらと多田をうかがっている。幼いながらも、すっきりと鼻筋の通った賢そうな顔立ちだった。

母親と娘は、まほろ駅へ戻ろうとバス停にやってきて、そこで倒れている多田を発見したのだった。人手と水が必要だと判断し、近くの岡の家へ助けを求めてくれたらしい。

「もういいから、今日は帰れ」

と岡は言った。「こんなところでのびていられたんじゃあ、俺が酷使したみたいで外聞が悪い」

まさにそのとおりなんだが、と多田は思ったが、「すみませんが、そうさせてもらいます」と岡の提案を素直に受けいれた。多田はベンチから立ちあがり、推移を見守っていた女に向かって、「ありがとうございました。ご迷惑をおかけしてすみません」と頭を下げた。

「吐き気はありますか」

と女は尋ねた。多田が首を振ると、

「では、すぐに水分補給してください。スポーツドリンクがいいでしょう。同時に、水風呂に入るかクーラーに当たるかして、体温を下げること」

と言う。なんだか医者みたいだな、と多田は思い、岡が実際に、「なんだか医者みたいだね」と女に向かって言った。

「医者です」

女は静かに答え、その口調のまま、「はる、あまりスカートを引っ張らないで」と娘を注意した。女の穿いているロングスカートは、ウエストがゴムらしく、幼い娘がぶらさがったため、ずり落ちて下着が少し見えていた。多田と岡はあわてて目をそらし、女は平然とスカートを引っ張りあげた。

この女のノリに、非常に近い人間を俺は知っている、と多田は思った。それに、娘をなんと呼んだ？　「はる」と言わなかったか？

いやな予感がする。すごくいやな予感がするぞ。多田は身構えた。

女は、そんな多田の様子には気づかなかったようで、

「大事に至らなくてよかったです」

と言った。つづけて岡に、

「ついでと言ってはなんですが、ひとつうかがいます。この先に古くて大きな家がありますよね。行天さんというかたが住んでいたと思うのですが、行ってみたら、表札が違うひとのものに変わっていました。どちらかに引っ越されたのでしょうか」

と尋ねる。やっぱり！　と多田は思った。はるという娘が、「バス来た、バス来た」と道の彼方を指した。岡が急いで答えた。

「あそこの夫婦は、急に家を売ったんだよ。去年の十二月かな。老後はあったかいところで過ごすと言ってたけど、行き先までは知らないね。親戚かい？」

「いいえ」

と女は言った。「失礼します」

バスが停まった。娘の手を引いて乗りこもうとする女の背に、多田は声をかけた。

「行天春彦」

女はステップにかけようとしていた足を止め、多田を振り返った。

「あなたが探しているのは、行天春彦じゃないですか？」

バスはまたもや、むなしく扉を閉めて走り去ることになった。

ちょうどそのころ行天は、ルルとハイシーの家で、マリと一緒にチワワと遊んでいたのだという。ルルの証言によれば、行天は部屋の隅で膝を抱えて座っていただけだったが、チワワはそんな行天に喜んでじゃれかかり、マリはそんなチワワに喜んでじゃれかかったので、結果的に「一緒に遊ぶ」形になったのだそうだ。

多田に厳しく言い含められていたため、ルルは「コロンビア人娼婦のルルでぇす！」という自己紹介は控えた。それでもマリは、アパートに行くまでの町並みや、女二人が暮らす狭い室内にかけられた服などから、なにか感じ取るものがあったのだろう。最初は緊張しているようだったが、それもルルが出したアイスクリームを食べるまでのことだった。

ルルとハイシーは、もう何日もまえから、マリを歓迎する準備をしていた。小学生の女の子など、ふだんはまったく接触がない。なにを用意すればいいのか、二人は激論を戦わせ、「おいしいアイスクリームにしよう。暑いし」ということになった。

まほろ市内には、酪農家が何軒かある。住宅街のなかの、臭いの漏れないハイテク牛舎で、牛たちがのんびりと干し草を食《は》んでいるのだ。そのうちの一軒に、ルルとハイシーは早朝から一時間半もかけて歩いてたどりつき、「まほろ印特製アイスクリーム」を買っておいたのだった。アイスが溶けないように、帰りは横中バスを使った。

生乳をふんだんに使ったアイスのおかげで、マリは打ち解けてくれた。イチゴと抹茶とチョコとバニラ。マリ、ハイシー、ルルの順に味を選び、行天は残ったバニラのカップを黙って食べた。チワワが尻尾を振りながら、四者のあいだをめぐった。みんな無視したが、行天だけはチワワの視線に負け、溶けかかったアイスを指ですくい、チワワに舐めさせてやった。

「犬に甘いものをあげちゃだめ！」

とハイシーが怒り、

「なんだかいかがわしいわねぇ」

とルルは言ってハイシーにはたかれ、

「どうして？」

とマリがきょとんとした。行天は困ったように、ちょっと笑ったという。

ハイシーが「コンビニでお茶を買ってくる」と言うと、行天も一緒に部屋を出ていった。ルルはマリと、チワワの相手をしながら、二人が帰ってくるのを仲良く待っていた。

遅いな、と思いはじめたころに、行天とハイシーは戻ってきた。ハイシーの顔色が悪かったので、なにかあったなとルルはすぐに気がついた。だがマリがいたので、その場ではなにも聞かなかった。行天はいつもどおりの飄々とした表情で、二リットルのペットボトルが三本も入ったビニール袋を持っていた。

「好きなのを開けなよ」

と、行天はマリに茶を選ばせた。ルルに言わせると、「便利屋さんのオトモダチはぁ、そっけないけどぉ、優しい」そうだ。

すべて、あとから聞いた話だ。


コンビニで涼みがてらポカリスエットを買い、多田は軽トラックに戻った。三峯凪子《みつみねなぎこ》と名乗った女は、娘のはるを抱いて助手席に座り、多田が渡した名刺を眺めているところだった。

「便利屋さん、ですか。意外です」

と凪子は言った。

「ラーメン屋のほうがぴったりきますか」

と多田が聞くと、凪子は黙った。多田は、エアコンの風が直接はるのほうに行かないよう、吹き出し口の向きを調節した。

「とりあえず、事務所に行きましょう」

ウィンカーを出し、まほろ駅前に向かってハンドルを切る。車を走らせていると、唐突に凪子が「すみません」と言った。

「ラーメン屋の意味がわからないのですが」

ずっと考えてたのか！　と多田は驚いた。さすが行天が選んだ女だけあって、変だ。そこは流してくださってけっこうです、と言っても凪子には通じそうもなかったので、多田は質問に質問で返すことにした。

「意外というのは、どうしてですか」

「春ちゃんは」

「ハルチャン!?」

「あ、行天のことです。そう呼んでいたので、つい……。おかしいですか？」

凪子は、女の子が年上の従兄弟について語るときみたいに、はにかむ風情だった。多田は度肝を抜かれていたが、

「いえちっとも」

と答えた。

「春ちゃんは」

と凪子は言葉をつづけた。「疲れることがきらいだから。便利屋さんは、体力がいるでしょう？」

「まあ、そうですね」

しかしあいつに限っては、体力を全然使ってないがな、と多田は思った。

「それに、多田さんのような友人がいることも知らなかったので。意外です」

「友人というわけじゃないですが、まあ、なりゆきで……」

多田はもごもご言った。凪子の膝におとなしく抱かれていたはるが、眠くなったのかぐずりだ

した。凪子は娘を抱え直し、背中を軽く叩いてやった。はるは母親の首にかじりつくようにして目を閉じた。

これが行天の元妻。そしてこの女の子が、行天の娘……。熱中症の名残か、多田は頭の芯が鈍く痛むのを感じた。似合ってるのか似合ってないのか、うまく判断がつかない。もともと行天ほど、家庭というものと縁遠そうでありながら、シーサーの置物みたいにどこにはまっていてもおかしくなさそうな男もいないのだ。

凪子は沈黙を気にしない性格らしく、会話が一段落すると、車内はずっと静かなままだった。間がもたない、と多田は思った。行天が、ひとが変わったようにしゃべるようになった理由が、わかった気がした。見た目も口調も地味で穏やかなのに、どこかひとを緊張させる空気が凪子にはある。

寝入ったはるに気をつかいながら、多田は言った。

「もう行天も事務所に戻っているかもしれません。電話してみましょうか」

「けっこうです」

と凪子は言った。「私がまほろに来ていることを知ったら、春ちゃんは姿をくらますかもしれません」

今度こそ、多田は黙ることにした。元夫婦には、いろいろあるのだ。

事務所の窓から、夕暮れの風が入ってくる。

はるは、行天の巣であるソファで、タオルケットをかけて眠っていた。凪子ははるの足もとに腰かけ、インスタントコーヒーを飲んでいた。多田は向かいのソファからそんな二人を眺め、落ち着かない気分でいた。

「遅いな。どこほっつき歩いてやがる」

多田のつぶやきを拾い、凪子がコーヒーカップから視線を上げる。多田は責められているような気がして、急いで説明した。

「いや、行天には、小学生の女の子を犬のところに案内する用を頼んでまして……」

意味のわからない説明になったうえに、行天はたしか自分の娘と会ったこともないはずで、それなのに「小学生の女の子」などという言葉を出したのは無神経だったかもしれない。多田は混乱と混迷を深め、一人で勝手に動揺した。

「変わったのね、春ちゃん」

凪子はカップをローテーブルに置いた。「子どもがきらいだったのに」

「いまもきらいだと思いますが」

と言った直後に失言したと思い、多田はあわてて取り繕った。「まあ、たいていの大人は、子どもがきらいです」

凪子は、眠るはるのぷくぷくした脚をそっとなでた。

「彼は子どもがこわいんです。自分が子どものときに、どれだけ痛めつけられ、傷つけられたかを、ずっと忘れられずにいるひとだから」

凪子がなにを言わんとしているのか、多田にはよくわからなかった。ただ、行天のいないところで、行天について語る言葉を聞くことに、居心地の悪さを覚えた。話題を変える材料はないかと事務所のなかを見まわし、はるの寝顔で視線が止まる。

目を閉じて、静かなその表情。

「行天に似てますね」

本心を、親というものに対する社交辞令にまぶして告げた言葉だった。しかしまたもや、多田は会話の選択を誤ったらしい。凪子は、

「そうですか？」

と言ったのだ。懐疑と、そんなことがあるはずない、という感触を含んだ語調だったので、多田はたじろいだ。まさか、行天の子じゃないのか？

「やっぱり、行天に連絡してみますよ」

と多田は言った。もう疲れていた。

「行き先はわかってるんで」

だが、凪子の答えはあいかわらず、「けっこうです」だった。

「本当は、春ちゃんと会おうとするのは契約違反ですから」

「契約？」

ハリウッドスターじゃあるまいし、夫婦のあいだにどんな「契約」が必要なんだ、と多田は怪訝に思った。はるが、まだ半ば眠ったままソファから降り、「オシッコ！」と宣言した。多田がトイレの場所を教えると、凪子とはるは連れだって仕切りのカーテンの向こうに消えた。

事務所の電話が鳴った。行天からだった。

「どこにいる」

と聞くと、

「それは言えないなあ」

と行天は答えた。その背後から、駅のアナウンスが聞こえてくる。まほろ駅ではないようだ。子守りと犬見物はどうなったんだ。おまえはいつも、頼んだことをろくに全うしない。多田は腹が立ったが、文句は後まわしにすることにした。トイレのほうをうかがいながら、

「春ちゃんよう」

と小声で言う。「頼むから早く帰ってきてくれ」

行天の一瞬の沈黙を、受話器は伝えてきた。

「……凪子さんが来てるの？　なんで？」

「知らん。偶然だ。ついでにおまえの娘も来てる。なんとかしろ」

「困ったなあ」

と、行天はあまり困ってなさそうに言った。「俺、ちょっと厄介なことになってるんだよ。帰るのは遅くなると思うから、あんたが凪子さんの話を聞いといて」

「逃げんな、こら！」

「じゃあね」

通話は切れた。受話器を叩きつけて振り返ると、気配もなく凪子が立っていた。

「春ちゃんからですか」

「はい」

わかったぞ、と多田は思った。この気詰まりな感じ。お堅い女教師と、放課後の資料室で二人きりで向きあうのと似ているのだ。

「行天は、帰りが遅くなるということでした。伝言があれば、俺から伝えますが」

凪子がなにか言った。多田は内心で、「いまのは、『帰ってくれ』と遠まわしに言ってるように受け取られる発言だったかな。そういうわけじゃないんだが」と、必死に言い訳を考えていたところだったので、「は？」と聞き返した。

「帰る、と言ったんですか。春ちゃんが」

「はい」

凪子ははじめて微笑み、娘をうながして再びソファに座った。はるは多田と目が合うたびに、恥ずかしそうに笑っては凪子の腕に顔をすりつける。はるに出せるような飲み物が冷蔵庫に入っていないことを、多田は残念に思った。

「私の用件は、簡単なものです。春ちゃんに伝えてください。お金はもう送ってくれなくていい、と」

「はい」

と多田は答えた。さっきから、ほとんど「はい」しか言っていない。それにしても、行天が別れた妻子に金を送っていたとは驚きだ。「小学生の小遣い」とブチブチ言っていたくせに、どこにそんな余力があったのだろう。

まさかあいつ、なにか後ろ暗い商売に手を出してるんじゃあるまいな。さっきも「厄介なことになってる」と言っていたし……。

多田の疑問を感じ取ったのか、凪子が「三千円とか五千円ですよ」と言った。

「八百五十円のときもありました」

「なんですか、それは」

「毎月、振り込まれるんです」

まさしく「小学生の小遣い」だ。振り込み手数料を払うのもばからしい。多田はあきれた。

「昨年末にまとまった額の振り込みがあって、それ以降はずっとそんな調子でした。なにかあったのかと、春ちゃんの勤め先に電話してみたら、突然辞めたと言われて」

そのときすでに、行天は多田のところに転がりこんできていたわけだ。行天の過去が、徐々に明らかになりつつあった。

「行天は、なんの仕事をしてたんですか？」

「ご存じじゃないの？」

「三峯さん、誤解があるようですが、俺は行天と友人というわけじゃない」

多田はソファのうえで姿勢を正した。「なにをして生きてきたのかも定かじゃないあいつに、気づいたら勝手に居着かれてただけなんですよ」

多田としては、いいように行天にたかられている自分の境遇を、悲痛に訴えたつもりだったのだが、凪子に「春ちゃんのこれまでが気になる？」と聞かれ、言葉に詰まった。

気になってるのか、俺は。いや、だれでも純粋に好奇心が湧くだろう。自分の子どもに一回も会ったことがなく、どう見ても五歳以上年上の別れた女房から、「春ちゃん」なんて呼ばれてる男がいたら、だれだってその過去をちょっとは知りたくなるだろう。多田は自分の心を検証し、

「まあ、雇用主としては気になりますね、当然」

と結論づけた。

「春ちゃんは、製薬会社で働いてました」

と凪子は言った。想像していたよりも堅実な職種だったので、多田は驚いた。どんな職業を言われても、行天が働いていたというだけで、驚きは驚きなのだが。

しかし、つづく凪子の発言が、多田をさらに驚愕させた。

「営業でした」

「えっ」

「なんですか、『えっ』って」

「……いえ、潰れたかったんですかね、その会社は」

「営業といっても、ふつうに薬を売るのとはちょっとちがうんです。血液を集める担当でした」

「はあ」

「大きな病院をまわって、血液採取への同意を患者さんからもらう係です。私は内科医をしていまして、そのころに春ちゃんと会いました」

血の入った試験管を片手に、病院の廊下をさまよい歩く行天の姿が脳裏に浮かんだ。

「血をもらって、どうするんです？」

「調べます。新薬開発のために」

「はあ」

今度は「はあ」しか言えなくなった。

「ただ、同意を得るのは難しい。患者さんは当然、病気で入院していますから、それどころじゃないんです。毎日、たくさんの検査を受けて、血も採られている。さらに製薬会社にも血をあげようというひとは、あまりいません」

「そうでしょうねえ」

そのうえ、血をくれと言ってくるのが、あの行天なのだ。せっかくあげた血を運搬中にぶちまけたり、体力増強にとこっそり飲んだりしていても、ちっともおかしくない感じがして、いやだ。

「で、行天はちゃんと血を集められたんですか」

「いいえ」

と、凪子はため息をついた。そうでしょうねえ、と多田はまた言った。

「すぐに、公的な研究所に出向になりました」

最初からそうしときゃよかったんだよ、と多田は思った。

「血液サンプルから病理解明をする研究室です。私も、博士号を取るために大学院に戻り、教授の都合でその研究所に出入りすることになりました。再会した私たちは、結婚しました」

「いま、お話にものすごく飛躍があった気がしますが」

凪子の頬に、少し血の色が差した。はるの「クマクマ！」という要求に応え、凪子は鞄からタオル地でできたウサギのぬいぐるみを出して与えた。

「クマじゃないように見える」

と多田ははるに言った。

「クマクマという名前のウサギです」

と、凪子がぬいぐるみに夢中なはるに代わって答えた。

「私は子どもが欲しかった。年齢的にも、仕事の忙しさからいっても、研究所に通っているあいだが、最後のチャンスでした」

ぬいぐるみを動かして無心に遊ぶ娘を見つめ、凪子は言った。「春ちゃんは、『いいよ』と言ってくれました。協力する、と」

まだ話に飛躍がある。語られないまま漂う、曖昧な部分がある。そう感じたが、多田はもちろん、聞かずにおいた。無性に煙草を吸いたかったが、幼児のまえなので我慢した。

「まだ帰らないですね、行天」

と多田が言うと、

「でも帰ってきますよ。春ちゃんがそう言ったのなら」

と凪子は再び微笑んだ。「多田さん、はるは人工授精でできた子です」

「はあ……はい？」

「私には、ずっと一緒に暮らしているパートナーがいます。現在の日本では、婚姻関係にある男女しか、不妊治療を受けられません。養子をもらって育てることもできない。私とパートナーは、とても迷ったし悩みました。どちらかが適当な男性とセックスすることも考えた。でも、やってできないことはないかもしれませんが、したくありませんでした。春ちゃんは、私たちの事情を全部知ったうえで、協力すると言ってくれました。……意味わかります？」

多田は、怒濤のように繰りだされた凪子の言葉を、脳内で咀嚼《そしやく》した。「どちらかが」と凪子は言った。行天は以前、「したことないんだよね」と言った。

「……わかりました」

と多田は言った。蛇を丸飲みしたような表情だったのだろう。はるが遊びの手を止めて、不思議そうに多田を見ていた。

「しかし、なんでまた行天を？」

よりによって、という言葉はかろうじて留めることができた。

「春ちゃんは水に似ていると思いませんか？」

詩の一節でも暗誦するように、凪子の声は静かな輝きを帯びた。「彼を暴力的な奔流のようだと感じるひとも、冷たく澄んだ潤いだと感じるひともいるでしょう。水がどんな姿でなにをもたらそうと、生き物にとっては欠かせないものであるように、私たちにとって春ちゃんは、かけがえのない友人です。たとえ、もう二度と会うことはなくても。だから娘にも『はる』と名づけました。大切な名前です」

希望の光――。多田はふいに胸打たれた。行天の名を、希望とともに呼ぶものがいる。行天と同じ名を持つ小さな娘を、喜びの具現として抱きしめ、育てる女たちがいるのだ。

「どうして俺に、そこまで話すんですか？」

「書類だけのことですが結婚しているあいだ、『帰る』という言葉を春ちゃんが一度も使わなかったからです。自分の家だと思ってくれと、私とパートナーがどんなに言っても、春ちゃんは『行っていい？』と聞いた。彼が借りていたアパートの部屋ですら、ただ寝るための空間のようでした」

凪子はなにか勘違いしているのではないか、と多田は思った。お互いを深く知ろうと努力する必要もない、乾燥した共同生活が、いまは居心地いいだけだ。行天だって、きっとそうだろう。獣が、自分の巣と決めたなにもない穴ぐらに帰るように。

ただひとつ引っかかることを、多田は聞いてみることにした。

「行天はその……ゲイ、なんでしょうか」

「さあ、ちがうでしょう」

凪子はあっさりと言った。「春ちゃんは女とも男ともセックスしたくないひとなんじゃないですか」

「じゃあ動物とか？」

「変なひとですね、多田さんって」

凪子は声を出して笑った。「ねえ？」と凪子がはるに同意を求めると、はるはなにもわからぬままに、「ねえ」と返した。「常識」からは大幅に逸脱した感覚と思考回路と行動をしているらしい凪子に、「変なひと」と言われ、多田は少なからず傷ついた。

「健康上の理由や信条のために禁欲してるひとなんて、いっぱいいますよ。べつにおかしくないでしょう」

と凪子は言う。

「行天には、持病か信仰があるんですか」

「私が知ってるかぎりでは、ないですね」

凪子はコーヒーカップを持って、ソファから立った。「言ったでしょ、春ちゃんは疲れることがきらいだ、って。ごちそうさま」


凪子とはるを送って、ハコキューまほろ駅までゆっくり歩いた。

「研究所のだれも、春ちゃんと私が結婚していたことを知りません。最初からの契約どおり、産休を取っているあいだに、春ちゃんとは離婚した。はるを生んで、私は病院に戻ったので、それ以来一度も春ちゃんには会ってません。でも毎月、お金だけは送られてくる。私もパートナーも、金銭的にはまったく不自由してないんです。二人とも、バリバリ働いてますからね。そんなことはしてくれなくていい、と何度も電話で言ったのに、春ちゃんは『うん』って笑うだけです。それが春ちゃんなりの気持ちなんだろうと、私とパートナーは、春ちゃんからのお金を、はるのために貯蓄しています」

「それがなぜ、いまになって『お金はいらない』と言いにきたんです？」

凪子はしばらく答えず、なにか考えているようだった。ぬくもりを感じて見下ろすと、はるが多田の指先を握っていた。そうするのが当然とでもいうように、片方の手は凪子と、もう片方の手は多田と結ばれている。いつもこうやって歩くのだなと、多田は一般的ではないが幸せな家族の姿を思って、目を細めた。

「春ちゃんの両親は、どうやって調べたのか私のところに電話してきて、はるを引き取りたいとしつこかった。私はそれを、春ちゃんに相談した。春ちゃんは、『わかった。俺からよく言っとくから、凪子さんは心配しないで』と言いました。去年の十一月のことです」

クレープの屋台とシシカバブの屋台から流れるにおいが混じり、まほろの駅前通りは息苦しい宵の口の熱気で満ちていた。

「そのあと、春ちゃんの両親はなにも言ってこなくなりました。同時に、春ちゃんも会社を辞め、連絡がつかなくなった。春ちゃんから振り込まれる金額が少なくなって半年経った時点で、私とパートナーはひとつの結論を出しました。春ちゃんはどうやら、生活に困っているらしい。本当にもうお金は送ってくれなくていいと言おう、と。まほろ出身だと聞いたことがあったので、手がかりを求めて実家の連絡先を電話帳で調べました。行天というのは、めずらしい名字ですから」

「ところが、実家の電話も通じなかったんですね」

「取り返しのつかないことになっていたらどうしよう、と思いました」

ずいぶんおおげさな物言いだ、と多田は思ったが、凪子の横顔はとても真剣だった。「私はこわくなった。春ちゃんは、よく言っていたのに。『親に虐待されて死ぬ子どもはいっぱいいるのに、虐待した親を殺す子どもがあんまりいないのは、なんでかな』って。なにか悪いことが起きたのかもしれない。どうしてその可能性に気づかなかったんだろうとあせりました。それで今日、ようやく休みが取れたので、思いきってまほろに来てみたんです」

再会した夜に、ぼんやりとベンチに座っていた行天の姿が浮かんだ。実家には知らないひとが住んでいた、と言ったときの表情も、シンちゃんに対し、手慣れた感じでふるった暴力も。

「多田さんは、いつどこで春ちゃんと会ったんですか？」

「もともとは高校の同級生ですが、再会したのはあなたに会ったのと同じ場所です。今年の正月に、あのバス停で」

「そのとき春ちゃんは、自分の両親を殺そうとしていたのかもしれません。殺すまではいかなくても、痛めつけようとしていたのかも」

歩き疲れたのか、通りの真ん中でしゃがんでしまったはるを、凪子は抱きあげた。「春ちゃんの両親は、逃げだしたあとだったみたいですが」

「どっちにとっても幸いなことに」

と多田は言った。

「そう、幸いなことに」

と凪子も言った。

駅が見えてきたところで、凪子は「多田さん、ありがとう」と言った。

「さっき、はるが春ちゃんに似てると言ってくれたでしょう。そうであったらいいと思っています。顔も、性格も」

それはおおいに問題がある、と多田は感じたが、凪子の目に映る行天を否定する筋合いでもないので、「そうですか」とうなずいておいた。

凪子が切符を買うあいだ、多田ははるを抱いていた。子どもはずっしりと重く、おとなしく多田に抱かれていても、目は常に凪子の姿を追っていた。

「はるがいてくれて、とても幸せです」

凪子ははるを抱き取るのと引き替えに、連絡先が書かれたメモ用紙を多田に渡した。どうせ春ちゃんは忘れているだろうから、と。

「はるのおかげで、私たちははじめて知ることができました。愛情というのは与えるものではなく、愛したいと感じる気持ちを、相手からもらうことをいうのだと」

多田にはなにも言えなかった。かつてたしかに、同じ気持ちを感じたことがあるような気もしたし、それはまったくの幻だったような気もした。

改札を通ったところで、凪子は振り返った。抱いたはるの手を優しく握り、多田に向かって振ってみせる。

「気が向いたら電話してほしいと、春ちゃんに伝えてください」

「はい。小金を送るのはやめろ、とも伝えておきます」

凪子は楽しそうに笑った。とてもうつくしいひとだったのだと、多田はそのときようやく気がついた。

「それからもうひとつ」

と凪子は言った。「向こう側に行かないで、と。じゃ、さよなら」

凪子の姿が雑踏のなかにまぎれるまで、その場にたたずんで見送った。やがて多田は、凪子にはもう届かないことを承知のうえで、「はい」と小さく返事した。

多田と行天は、たぶん似たような空虚を抱えている。それはいつも胸のうちにあって、二度と取り返しのつかないこと、得られなかったこと、失ったことをよみがえらせては、暴力の牙を剝こうと狙っている。だが、そちら側には行くなと凪子は言う。行ってはならないと。

あの夜、あのバス停で俺と会ったことで、行天はなにか変わったのだろうか。そうは思えない。深い深い暗闇に潜ったことのある魂、潜らざるをえなかった魂が、再び救われる日が来るとは、多田には思えなかった。

わかったことは、と多田は事務所に戻りながら考えた。行天は確実にだれかを幸せにしたことがあるが、俺はないということだ。

墓参りしたり、倒れたり、行天の戸籍上の元妻の話を聞いたり、長い一日だった。多田は事務所のドアに鍵を差しこみ、まわした。開けたつもりが、鍵はなぜか閉まってしまった。行天が帰っているのかと、もう一度鍵をまわしてドアを開くと、事務所内には呼んでもいない客がいた。

長い一日は、まだ終わっていなかった。

すべて、あとから聞いた話だ。

ハイシーはこのところ、ずっと困っていたのだという。妙なチンピラに入れあげられていたからだ。

ヤマシタと名乗るその男は二十代の前半で、最初はひやかしで駅裏にやってきたようだった。未だに古い長屋で客を取っている形態を、イメクラの一種ととらえるものもいる。どんなに壮絶な女が出てくるのかと、己れの武勇伝の末端に書き加えるつもりで、興味本位で駅裏を訪れるものもいる。ヤマシタもそうだった。

馬鹿な男、とハイシーは思う。

長屋に出勤する女たちは、社会保障のない営業マンのようなものだ。シフトが組まれているし、出来高制のうえに組に持っていかれる率が高くて厳しいけれど、売り上げがよければ報奨も出る。熾烈《しれつ》な競争に打ち勝つために、びっくりするほど若くてかわいい子が、各種取りそろえられている。

ルルのように、奇抜なメイクとファッションで年のいったタイプは、例外中の例外なのだ。たぶん、本人はそう思っていないが。そんなルルも、機転の早さと衰えを知らぬプロポーション、そして熟練の技で、したたかに夜の世界を泳ぎわたってきた女だ。

ハイシーが一番きらいなのは、ヤマシタのような客だった。話のネタに程度の気持ちで駅裏に足を運んだくせに、そこで働く女の子たちを見たとたんに勝手に物語を作り、なんやかやと理由をつけてはこみいった話をしようとし、することだけはしていく男。

放っておいてほしい、とハイシーは思う。二十分二千円。それがハイシーの値段であるのと同じように、ハイシーにとっての男の価値だということに、なぜ気づこうとしないのか不思議だ。

ヤマシタは最初、長屋の玄関先の椅子に座っていたハイシーに、薄笑いを浮かべながら近づいてきたそうだ。ハイシーはずっと、明日はチワワのトイレシートを買いにいかなきゃ、と考えていた。

そのうちヤマシタは、頻繁にハイシーを買いにくるようになった。どこで生まれたのかとか、いつからこういう商売をしているのかとか、お決まりのうんざりするような質問をされた。ハイシーはすべてに適当に答えながら、早く二十分が過ぎないかなと思った。

好きだとか一緒にどこか行かないかなどと言われ、おかしな目の色をして二十分のあいだに無理やり二度目を挑まれそうになった時点で、ハイシーは対抗策を講じた。組の監視役にヤマシタの素性を調べるよう頼んだ。

ヤマシタが、星の使っているチンピラの一人だということは、すぐに判明したという。「星にそれとなく言っておいたから、大丈夫だ」と監視役は言ったが、ハイシーはもちろん信用しなかった。ヤマシタがコンドームに妙なクスリを塗ったりしないか、注意して動向を見張るようにした。

ヤマシタの来る回数は減ったが、かわりに、いつもあとをつけられるようになった。仕事の行き帰り。チワワの散歩中。視線は常に圧力となって、物陰からハイシーに注がれていた。勘違いだと思いたかったが、そうではなかった。

ある朝、使用済みのコンドームが十個以上、アパートのドアのまえに整然と並べられていたのだ。

ルルは「あらあらぁ」と言い、ゴム手袋をはめた手でそれらを拾ってビニール袋に入れた。バケツにくんだ水でドアのまえを洗い流し、固く口を縛ったビニール袋をゴミ捨て場に置いてきたルルは、

「さて」

と言った。「心当たりはあるぅ?」

ハイシーは「ある」と答え、事情を話した。怒りと気色悪さと恐れで、もう少しで涙がこぼれるところだった。

話を聞き終えたルルは、

「無視しなさい」

ときっぱり言った。「それでもダメだったらぁ、便利屋さんに相談してみよっかぁ」

それからルルは、「なにかあったら、これを使ってタクシーでもなんでも乗って、逃げるように」と三万円をくれたそうだ。ルルがこつこつと貯めこんでいる、大事な金だ。ハイシーはありがたく、それを預かることにした。

そういう状況のなかで、ルルとハイシーはマリと行天を心をこめて迎えたのだった。

楽しい時間だったが、行天と一緒にコンビニに茶を買いにいったハイシーは、戦慄した。ふと

視線を上げたガラス越し、通りの向こうにヤマシタが立って、こちらをじっと見ていたからだ。これまで、ひたすら陰でつきまとうだけで、姿を現すことなどなかったのに。

「どうしたの？」

青ざめたハイシーに気づき、ペットボトルをぶらさげた行天が隣に立って聞いてきた。ハイシーはヤマシタと目が合わないようにうつむき、「ストーカーがこっちを見てる」と言った。

「ふうん。あの男？」

行天はつぶやき、突然ハイシーの肩を抱き寄せた。「挑発しちゃおうっと」

ハイシーは驚いた。

「ちょっと、刺激すんのはやめてよ！　あの男、本気でヘンなんだから！」

「ゴキブリは、冷蔵庫の下から完全に這いでてきたところで、叩く！」

と行天は言ったそうだ。わけがわからない、とハイシーは思った。多田もまったく同感である。

行天はハイシーの肩を抱いたままコンビニを出て、嫉妬に燃えるヤマシタのまえを通りすぎるときに、

「今日は同伴出勤するよ」

と、わざわざ聞こえるように言ったらしい。長屋にそんな制度はない、とハイシーは思ったが、黙っていた。ヤマシタがいまにも襲いかかってきそうで、こわかった。

今日はシノブちゃんの家に泊まるんだ、と嬉しそうに言うマリを、行天はきちんと駅前のバスターミナルまで送っていったそうだ。それからルルとハイシーのアパートに戻ってきた。ルルを

心配させたくなかったので、ハイシーはなにも言わなかった。

「いつからそういう仲になったのぉ」

と、化粧中のルルにからかわれながら、ハイシーは行天とともに長屋に向かった。ヤマシタが、ぬめるような目をしてついてくるのが、カーブミラーに映っていた。

長屋に入ると行天は、

「じゃあ、あんあん言ってみよう」

とAV監督のように指示した。ハイシーが折を見てあんあん言いだすと、長屋の格子戸が激しく叩かれた。ふざけんな、ハイシーは俺の女だ、と呂律《ろれつ》のまわらぬ舌でヤマシタが叫ぶ。

「演出意欲が著しくそがれるね」

と行天はぼやき、素早く格子戸を開けてヤマシタを引きずりいれると、再び素早く戸を閉めた。

「だれがだれの女だって？　もう一度言ってみな」

冷たく手に貼りつく氷のような声だったという。

言ってみな、と言ったくせに、行天はなにを言う隙も与えずヤマシタの襟元をつかみ、顔面に正面から拳を叩きこんだ。ねっとりした鼻血が大量に土間に滴ったわりに、どういうコツがあるのか前歯に当てることもなく、行天の手の甲には傷ひとつついていなかった。ハイシーは喘ぐのをやめ、豹変した行天をただただ驚いて見ているしかなかったそうだ。

「ねえ」

と行天は呼びかけて、ヤマシタの名を知らないことに気づいたようだった。ハイシーのほうを見るので、「ヤマシタ」と教えた。

「ねえ、ヤマシタさん。どれだけハイシーが欲しいのか、俺に教えてちょうだいよ。俺はいつでも、まほろにいるからさ」

行天が手を離すと、ヤマシタは血だらけの顔のまま力なく尻餅をついた。

「ハイシー、おいで。店外デートしよう。横浜がいいかなあ」

そんな制度はない、とハイシーは思ったが、黙って行天に駆け寄った。足首をつかもうとしたヤマシタの手を振り払い、長屋の外に出る。

不穏な気配を感じたのか、女たちが表に集まってきていた。そのなかの一人に、「ルルに連絡して」とハイシーは頼んだ。シフトに穴をあけることになっても、ルルならうまく切り抜けてくれるだろうと思った。

行天はハイシーの腰を抱いて駅裏をのんびり歩いた。ヤマシタはまだ立てないのか、追ってこない。横浜に向かう八王子線に乗ったところで、行天はハイシーから手を離した。

「どうすんのよ、これから」

とハイシーが聞くと、

「お金ある？」

と行天は言った。ルルの金が入ったバッグを、ハイシーはいつも持ち歩くようにしていた。うなずいてみせると、行天は「よかった」と言った。

「俺はろくにないからさ。あんた、しばらくまほろから離れなよ」

「あなたはどうするの？　あんなこと言っちゃって、ヤマシタは絶対にまほろ駅で待ちかまえてると思うよ」

「あいつが派手な事件を起こして捕まれば、安心じゃない」

「殺されても知らないから。なんであなたが、そこまでするのよ」

「あんたになんかあったら、チワワの飼い主がコロンビア人だけになっちゃうでしょ。そうすると、餌に白い粉末が混入する可能性が高まって、俺が怒られるんだよ」

そのときまでハイシーは、行天に下心があるのではないかと疑っていた。だが行天の目を見て、そうじゃない、と気づいたそうだ。このひとは、どうでもいいんだ。ハイシーやチワワのことはもちろん、自分自身さえ、どうなってもべつにいいんだ、と。

三十分ほどで横浜駅に着き、ハイシーと行天はみどりの窓口で時刻表を調べた。

「寝台特急出雲っていうのがある。これがいいんじゃない」

と行天は言ったそうだ。「鳥取に行きなよ」

「なんで鳥取」

とハイシーが聞くと、

「サバクがある」

と行天は答えた。あるのは砂丘だとハイシーは思ったが、あえて訂正はしなかった。

「ヤマシタくんが横浜まで来るといけないから、とりあえず電車に乗りな」

行天は初乗り分の切符を買って、ハイシーに渡した。「静岡あたりまでのんびり行ってさ、そこで出雲が来るのを待てばいい」

まほろまでの切符を持った行天と一緒に、東海道線のホームに上がった。行天は「ちょっと待ってて」と言って、売店のほうに歩いていった。電話をかけているようだった。戻ってきた行天は、

「はい、お弁当」

と、オレンジ色の紙で包装された箱をくれた。「横浜といったら、やっぱり崎陽軒でしょう」

ハイシーは箱を手に、電車に乗った。発車までのわずかな時間、開いたドアを境にハイシーと行天は立っていた。

「あなた本当にまほろに戻るの？」

「うん」

「危ないよ。一緒に行こう」

自分の言葉に、ハイシーは驚いた。馬鹿な男と同じようなことを言ってる、と。

「サバクを見に？」

行天は笑った。「何日かしたら、コロンビア人にでも電話してみてよ。それまでに終わらせとくようにするからさ」

ドアが閉まり、行天をホームに残して電車は走りだした。ハイシーに言わせると、「ふつうだったら、惚れてる」そうだ。

「だけど電車のなかで崎陽軒の箱を開けたらさあ。シウマイばっかり三十個も入ってて、ご飯が

ないの！　お弁当じゃなかったのよ！　ちゃんと確認して買ってほしいっての、まったく」

「ええと、どちらさま？」

多田は事務所のドア口から、闖入者《ちんにゅうしゃ》に礼儀正しく尋ねた。室内では、二人の男が向かいあってソファに座っていた。

一人はまだ十代かという若さで、耳にピアスをたくさんつけている。大通りで、古着屋の客引きの黒人に声をかけられそうな格好だ。もう一人は二十代半ばぐらいで、屈強そうな体つきだ。行天の巣を占拠して、礼儀知らずにもローテーブルに両脚をのせている。

「便利屋、相方はどうした」

と口を開いたのは、若いほうの男だった。声ですぐに、星だ、とわかった。若いだろうとは思っていたが、それでももう少し年のいった男を想像していたので、多田は念のため、行儀の悪いほうの男に視線をやった。腹話術を使ったわけではなさそうだった。

世も末だ、と年寄りじみた感慨を抱きながら、多田は二人に近づいた。星が指先でちょっと合図しただけで、屈強そうな男は無言でソファを空けた。

「座れよ」

俺の家だ、と思いながら、多田は星の向かいに腰かける。立ちあがった男は、ぬかりなく多田の背後にまわった。

「同じ質問を二度するのは好きじゃない」

と星は言った。

「俺に相方なんかいませんよ。芸人を志したことはないもんで」

と多田は言った。多田の背後で動きかけた男を制し、星は前傾姿勢になって膝のうえで指を組んだ。過半数の指に、シルバーのごついリングがはめられている。

「緊急事態なんだよ、便利屋。携帯でいますぐ相方を呼び戻せ」

星は本当にあせっているようだった。多田は少し不安になった。

「あいつは携帯を持ってない」

「マジかよ。いんのか、そんな人間が」

「なにがあった？」

星の上体が弧を描く。星はソファの背もたれに身を預け、しばらく天井をにらんでいた。

「山下というやつがいる。女がらみでちょっと問題があって、そろそろ切ろうかと思ってる男だ。そいつが、鼻血まみれで駅をうろついていたと、仲間から連絡があった。通報でもされたら面倒だ。すぐにつれてこいと俺は指示した」

「なるほど」

話の行く先がわからず、多田は星の細っこい首を見ていた。星が身を起こす。

「ついさっき、またべつのやつから連絡があった。駅前通りで、山下が追いかけっこをしている、となった。やつが追っているのは、砂糖の一件で世話になった便利屋の一人のようだった、と」

なにやってんだ、行天。多田は額を掻いた。

「クソの始末は、飼い主が責任を持ってしてくださいよ。俺が知るか」

多田はそう言って、吸いたくてたまらなかった煙草を振りだした。後ろから男の太い指がのびてきて、多田のくわえた煙草をつまみとり、二つに折って床に捨てた。

「星さんは、煙草はきらいだ」

と男は言った。多田は舌で自分の歯の裏を舐め、そこに付着したヤニで気をまぎらわせた。

「じゃあ、始末することにしよう」

と星は話をつづけた。「警察にくちばしをつっこまれると、こっちとしては困る。組ににらまれたくもない。騒ぎを起こすようなら、山下には消えてもらうしかない」

「物騒ですね」

「それが一番簡単だ。余計なことを歌われると厄介だから、そのときにはおまえの相方の始末もつける」

「ちょっと待て」

腰を上げかけた多田は、背後から男に両肩をつかまれ、またソファに沈んだ。「なんで行天まで始末する。その山下とやらが、勝手に追ってるんだろう。こっちは被害者だ」

「自分の家のまえに犬のクソが落ちてたら、どうする。躾ができない飼い主にかわって、始末するしかないよな」

「拾いにいく」

多田はため息をついた。「拾いにいくから、ちょっと待ってくれ」

とは言っても、行天がいま、まほろのどこにいるのか見当もつかない。

「首輪もないのに、連絡が来るか？」

星は、薄い唇を器用に片方だけ吊りあげた。「まあいい。なにごともないまま、こっちが山下を見つければ、それで解決だ。これからは無駄吠えしないように、おまえは相方によく言い聞かせろ」

無機質な着信音が事務所内に響いた。鳴ったのは星の携帯だった。真っ白で薄い限定型の機種に、まほろ天神のお守りがついているのが、ちぐはぐな感じだ。

無病息災か、交通安全か、もしかして学業成就か。多田は揺れるお守りに書かれた字を読みとろうとしたが、星の言葉に、そんないっさいを忘れた。

「見つかったか。車まわしとけ。ああ？　やっちゃったのか。探せ、近くにいるはずだ」

携帯に向かって素早く指示しながら、星はもう多田には目もくれずに事務所から出ていった。多田もあとを追おうとして、またもや背後の男に押さえつけられた。

「離せ！」

「あんたはここにいろ」

多田はさりげなく脚をのばし、ローテーブルの下を探った。思ったとおり、つま先に硬い感触が触れる。朝に転がした缶ビールだ。多田はそれを両足を使って挟みあげ、右手に持ちかえて思いきり背後に振りあげた。ヒット。缶が男の鼻面に当たる鈍い音がし、多田の肩にかかっていた掌の力が、うめき声とともにゆるんだ。

男の手を振り払い、多田は事務所から走りでた。コンクリートの階段を三段抜かしで転げ下り、ちょうど携帯をポケットにしまったところだった星の腕を、通りで背後からつかみとめる。

「星さん！」

短い距離だったが、全力疾走したせいで息が切れていた。「なにがあった？」

星は振り返り、多田の形相を見てちょっと笑った。今度は年齢相応の笑みだった。

「必死だな、便利屋」

「俺は、同じ質問を何度しても苦にならない。なにがあった？」

足音が迫ってくる。男が追いついたのだろう。星が多田の背後をちらりと見やると、足音はそこで止まった。

「山下が見つかった」

星は静かに、自分の腕から多田の手をはずさせる。「興奮して、『やった』と言っているらしい。おまえの相方も近くにいるはずだから、探せと指示した。山下も相方も、仲間がうまく処理するだろう」

「どこだ！」

多田は叫んだ。星は黙って、多田を眺めている。

「山下とやらは、そっちで好きにしろ。行天はこっちで見つける。警察に余計なことをしゃべらないように、俺からよく言っておく。山下はどこで見つかった！」

「バスターミナル。横中バスの定期券発券所近く」

星は、顎でひょいと通りを示した。「走れ、便利屋」

もちろん、多田は走った。


夏休みの夜。まほろ駅前の人通りには法則性がなかった。あらゆる方向に流れ、拡散し、ふいに停止し、たむろい、気まぐれに進路を変えた。

そのなかを多田は、バスターミナルを目指して必死に駆けた。町全体にこもった湿度の高い空気。全力疾走しているのは、多田ぐらいのものだ。

バスターミナルは、頭上にハコキューと八王子線の駅をつなぐ大きな連絡通路が通っているため、昼でも日が射さない。夜のバスターミナルでは、人々が沈黙のうちに列をなしているばかりだった。

発券所は、その奥のビルの谷間にある。いつでも吐瀉物とアンモニアの臭いが充満している場所だ。多田は放置自転車をかきわけるようにして、発券所のまえに立った。営業時間はとうに終わり、シャッターが下りていた。八王子線がすぐ脇を通りすぎ、車窓から白い光を連続して投げかける。自転車の影が、炭化した骨格標本のように地面に散らばった。ひとけはまったくない。

多田は再び走りだした。ターミナル沿いに並ぶ、さびれた店。ビルとビルの細い隙間。多田はそれらをひとつずつ覗いて行天の姿を探した。多田の行動を、バスを待ちながら不審そうに見るものもいたが、気にする余裕もなかった。

汗は滴ることもなく、すでに全身を覆っている。暑さのためか、冷や汗なのかわからない。

ターミナルの端にある大きなスーパーから、音程のはずれた陽気なテーマソングが流れている。照明がふんだんに使われたその一角だけ明るい。多田は誘われるように足を踏みだし、ふと動きを止めた。

スーパーの横に、暗い道がのびている。その先には、八王子線と交差するハコキューの陸橋と、小さな団地しかない。通行人もいまは見あたらなかった。

多田は、その道を選んだ。もう走ることはしなかった。進むにつれ、心臓が痛み、指先が冷たくなった。室外機から熱風が降り注いでいるのに、多田の汗はいつのまにか引いていた。

スーパーの外壁にへばりつくように、何台もの自動販売機が並ぶ。青白い人工の昼。そこを過ぎると、必要とは思えないほどの数の証明写真のボックスが、薄闇のなかに整列していた。色あせたビニールのカーテンが、わずかに風にそよぐ。

ぴちゃ、と濡れた音がして、多田は視線を落とした。スニーカーを履いた足先を、浅い水たまりに踏み入れてしまっていた。一歩退き、道に黒々と淀む水を見る。

水ではない。血だ。

多田は、かたわらにある証明写真のボックスのカーテンを引き開けた。

押しこめられたような体勢で、ボックス内の椅子に行天が座っていた。

「行天」

「あれ」

うつむいていた行天が、かすかに視線を上げる。「あんた、なんだか黒くなってるよ」

日焼けだ。とにかく立て、と行天の肩にかけようとした手を止めた。行天の腹から、ナイフの柄が突きでている。その周囲はべったりと血で汚れ、何色のTシャツだったのかわからなくなっていた。

なぜ、「遅くなる」などとわざわざ電話してきた。いままで一度だって、そんな連絡を寄越したためしはなかったのに。行天は、こうなることがわかっていたのではないか。わかっていて、だから電話を。

俺はいつも、気づくのが遅すぎるのだ。

「行天ー！」

曽根田のばあちゃん、再び予言する

四・五　曽根田のばあちゃん、再び予言する

病室のベッドはからっぽだった。

多田は、シーツをはがされむきだしになったマットレスに腰かけ、持参した紙袋を畳んで膝に置いた。

四人部屋はとても静かだ。一人は骨折した脚を吊りながら漫画雑誌を読み、もう一人は昼寝をしているのかカーテンを閉め切り、あとの一人は談話室にテレビでも見にいったらしかった。

それで、三日前までこのベッドで寝ていたはずの男は、どこに行ったんだ？　と多田は考える。

容態が急変して、霊安室に運ばれたあとだったりしてな。

顔見知りになった看護師が廊下を通りかかり、「あら、多田さん」と声をかけてきた。

「行天さんなら、つきあたりの六人部屋よ」

「そこは重傷の患者さんが入る部屋ですか。あいつ、腹の傷が開いて飯が出たんでしょうか」

「なに言ってるの、あなたは」

「希望的観測を述べてみました」

「午後イチで手術した患者さんが来るから、移ってもらったのよ。行天さんは、予定どおり明日退院です。おめでとう」

あまりおめでたくもない、と多田は思いながら、

「お世話になりました」

と看護師に挨拶し、その病室を出て廊下を奥へ進んだ。

六人部屋にも、行天はいなかった。戸口にかかった名札を確かめ、行天の新しい寝床であるらしいベッドに近づく。白いシーツには菓子クズが散らばり、ベッドサイドの小さなスチール棚のうえには、かじりかけのリンゴが置いてあった。ルルとハイシーからの差し入れだろう。

棚のなかから行天の身のまわりの品を取りだし、適当に紙袋に詰めた。枕の下で発見したウィスキーの小瓶を没収し、菓子の空き袋をゴミ箱に捨てる。それでも行天が戻ってこないので、多田は探しにいくことにした。

行天の入院生活は、一カ月半に及んだ。手術室からストレッチャーで運ばれてきた行天は、青白くむくんで目を閉じていた。多田はさすがに、「これは駄目なんじゃないか」と不安になったのだが、麻酔から覚めた行天の第一声は、「あー、煙草吸いたい」だった。

出血もひどかったし、ナイフによって内臓と腹筋に穴があいたというのに、目を離すと行天はすぐに起きあがって、病院の向かいにあるコンビニへ行こうとする。担当医もしまいにはあきれて、

「行天さんは痛覚が鈍いんですかね」

と首をひねった。

多田は最初のころは連日、いまでも数日に一度は、まほろ市民病院に行天を見舞っている。病院内のどこになにがあるのかも、もうだいたい把握した。

廊下から見える中庭のベンチ。テレビの置いてある談話室。曽根田のばあちゃんが入院している部屋。そのいずれにも姿が見えなかったら、行天がいそうな場所はあとひとつしかない。

多田は病棟の薄暗い階段を上がり、屋上に通じるドアを開けた。秋の午後の透き通った日差しが、空中の広場に満ちている。ドラマなどでは、病院の屋上にはシーツや包帯が干してあるものだが、まほろ市民病院の屋上にはなにもなかった。リネンの洗濯はすべて専門の業者に外注しているため、見通しがいい。

行天は案の定、屋上の金網に貼りつくようにして煙草を吸っていた。

高く張りめぐらされた金網越しに、行天はまほろの町並みを眺めているらしかった。屋上からは、市内のほぼ全景が見渡せる。

平野部にある駅前のビル群と、その周辺を囲む住宅地。流れる川と道路。点在する団地。郊外のゆるやかな丘陵地帯には、畑と森の緑が広がる。

「行天」

と呼びかけ、多田は金網の近くに歩み寄った。ほとんどひとに踏まれることのないコンクリートの隙間から、名前を知らない草が顔を出している。

行天は振り返り、金網を背にして多田に向き直った。くわえ煙草からあふれる煙が、涼しくなった風にさらわれ、青空に舞いあがった。

「労災は下りそう？」

と行天は言った。日の光の下で見ると、行天は入院前よりも確実に血色がよくなっていた。三食昼寝つきの生活のおかげだ。

「下りるわけないだろ」

行天の隣に立ち、多田も一服する。「おい、傷からも煙が出てるぞ」

行天は、緑色の入院着に覆われた自分の腹を見下ろし、確認してから「出るわけない」と言った。

「明日には退院なんだから、今日吸ってもいいでしょ」

入院しているあいだ、隠れてずっと吸っていたくせに。多田はそう思ったが、いまさら指摘しても意味がないので、用件に入った。

「明日は来られないんだ。だいたいの荷物は、先に持って帰っておく」

紙袋を示すと、行天はうなずいた。

「金はどうすればいい？」

「俺が立て替えるしかねえだろ」

多田はポケットから封筒を出し、行天に渡した。「これぐらいあれば足りるはずだ」

「またあんたからの借金が増えたね」

封筒を握った行天は、足もとに放った煙草を踏み消した。スニーカーには、茶色く変色した血痕がまだ残っている。

「おまえ結局、三峯さんに電話しなかったんだな」

多田は行天の吸い殻を拾い、携帯灰皿に収めた。「怪我したときぐらい、連絡してもいいのに。べつにきらいあってる仲でもなさそうじゃないか」

「好きとかきらいとかいう仲じゃないから、俺はもう凪子さんには会わないほうがいいんだよ」

「はるちゃん、かわいかったぞ?」

「当然でしょ。俺が想像力のかぎりをつくしてマスかいたんだから」

多田はブッと煙草を吹き飛ばしてしまった。

「そういうえげつない発言はやめろ」

行天は「なんで?」と不思議そうだったが、ふいに真顔に戻って、

「そういえば、あのオマワリサンどうした?」

と聞いてきた。

「ああ、早坂さんな」

行天の腹の傷を見て、事件性ありと判断した医者はもちろん通報した。多田は、やってきたまほろ警察署の二人の刑事に対し、「自分が駆けつけたときにはすでに刺されたあとで、なにがどうしたのかわからない」としらばっくれた。

ベッドのうえで目を覚ました行天にも、刑事たちは事情を聴いた。多田の必死の目配せに気づ

いたのか、行天は「ナイフを持ったまま転んだら腹に刺さった」と答えた。ありえない。考えうるかぎりで、一番最悪の言い逃れだ。刑事たちは苦笑し、その場は引きあげていったが、早坂と名乗った男のほうだけは、ちょくちょく多田の事務所を訪れた。

多田ははじめ、行天を刺したのが自分だと疑われているのだろうと思っていたが、そうではなかった。早坂という中年刑事は、多田の周辺の人々に興味があったのだ。

「多田さんのまわりには、キナくさいひとがずいぶん集まってますねえ」

事務所のソファに座り、早坂は言った。「森岡慎を知ってるでしょ」

「さあ、だれですかそれ」

尋ねたとたん、もしかしてシンちゃんか？　と多田は思い当たった。表情を動かさないようにしながら、インスタントコーヒーをすすってごまかす。

「森岡とつきあいのあった、駅裏の女とも親しいようだし。それに、行天さんでしたっけ？　彼が刺された日に、この事務所にあやしげな若者たちが押しかけていた、というご近所の目撃情報もあるんですよ」

ご近所のどいつだ。チクりやがって、ただじゃおかねえぞ。と思いながら、多田は曖昧に微笑んだ。

「まほろの治安は、悪化の一途をたどっています。クリーンな町づくりのために、これからもぜひ市民として協力してくださいよ。ね、多田さん」

もちろんです、と多田は言って、事務所を出ていく早坂を見送ったのだった。

「このごろ来ないな。まほろ警察も、いまそれどころじゃないんだろう」

多田は煙草の始末をし、携帯灰皿をポケットにしまった。金網越しに眺めるまほろの市街地は、いつもよりも騒然とした雰囲気に包まれているようだった。

「ワイドショーでも毎日のように、まほろのどこかが映ってるもんねえ」

行天も再び金網に顔を押し当てた。

ふだんは注目されることもないまほろ市が、にわかに脚光を浴びていた。一週間ほどまえに、殺人事件があったのだ。林田町のマンション、パークヒルズで夫婦の刺殺体が発見された。犯人はまだ捕まっていない。おまけに、高校生の娘が行方不明だ。

なんらかの事情を知っているはずだとして、警察は必死に娘を探していた。未成年なので扱いは慎重だが、マスコミも実質的には娘を犯人と目《もく》して、マンションの住人や学校の友人への取材を試みている。まほろ駅で、パークヒルズで、娘が通っていたまほろ高校前で、記者やリポーターたちが関係者のコメントを求めて群がる映像が、連日のようにテレビ画面を通して全国に流れた。

まほろ高校は、市内で一番の進学率を誇る公立校だ。伝統的に自由な校風だが、いままで特に問題は起こっていない。どちらかというとおっとりした優等生タイプが集う学校だというのが、まほろ高校に対する市民の共通認識だった。そのぶん、驚きも大きかったのだろう。まほろ市で殺人事件があったうえに、まほろ高校の女子生徒が関係しているかもしれないなんて、と。

多田は、まほろ高校の「優等生伝説」など、もとから信じていなかった。なにしろ、かつて行天も在籍していた学校なのだから。行天自身は、自分がまほろ高校出身であることなどとうに忘れてしまっているらしく、べつの部分に興味を示した。

「パークヒルズっていったら、犬のアニメのガキが住んでるところじゃない」

「由良公だろ。昨日、事務所に電話があった。なんだか怒ってたぞ。毎朝のようにマンションの出入り口にカメラが並んでて、学校に行くのも一苦労だって」

「ふうん」

二本目の煙草を取りだす行天の手を、多田はなんとなく見ていた。古傷が残る右の小指は、あいかわらず動きが少しぎこちない。

「――――の？」

行天がなにか言った。ぼんやりしていた多田は、その声を言葉として聞き取りそこねた。

「なんて言った？」

「明日はなんの仕事が入ってんの？」

「掃除だ」

「ふうん。どこで」

「小山内《おさない》町。おまえは来なくていいぞ。暇なら事務所の窓ガラスでも拭いててくれ」

「帰っていいのか？」

と行天は聞いた。多田は行天の指から顔へ視線を移した。流した血とともに、ますますなにかを削ぎ落としたかのような無表情だった。

「ほかに行くあてがあるのか？」

と多田は聞いた。「じゃあ明日な」

行天を屋上に残して階段を下りた多田は、病院を出るまえに、曽根田のばあちゃんの病室へ寄っていくことにした。ばあちゃんはベッドに正座し、イヤホンから盛大に音を漏らしながらラジオを聞いていた。背中を丸め、やっぱり大福めいた姿勢だ。

「曽根田さん、こんにちは。便利屋の多田です」

多田がばあちゃんの肩にそっと触れると、ばあちゃんは振り向いてラジオを消した。

「はじめまして」

と、ばあちゃんは丁寧に頭を下げる。依頼を受けたわけではないので、息子を騙《かた》ることもできない。多田はばあちゃんからもう何度も、「はじめまして」の挨拶を受けていた。

「あのね、明日から俺、頻繁には来られなくなるんです」

ばあちゃんに聞こえるよう、大きな声でゆっくり話す。「……友人、が退院するので」

行天のことをなんと表現すべきか一瞬迷い、手っ取り早く「友人」で落ち着いた。「この病室に顔を出しては、ばあちゃんのおやつのカステラを食っていく、行天という名の高校時代の同級生にして居候にして疫病神」と説明しても、ばあちゃんにはうまく通じないと思ったからだ。ばあちゃんは、

「それはよかったね」

と言った。

「機会があったら、また来ますから」

多田は腰をかがめ、ベッドに座るばあちゃんの耳元で言った。「どうぞお元気で」

「はい、ありがとう」

多田が病室を出ようとしたら、ばあちゃんが「ちょっとあんた」と引きとめてきた。振り返ると、自分のまえにすでにだれもいないことに気づいたらしいばあちゃんが、戸口のほうへもぞもぞと体の向きを変えているところだった。多田は立ち止まって、大福が百八十度回転しおわるのを待った。

「家には帰れそうかい？」

と、ばあちゃんは言った。ばあちゃんが前後の脈絡がわからないことを聞いてくるのはいつものことなので、多田は無難に、

「はい、これから帰るところです」

と答えた。

「だったらいいけれど」

ばあちゃんは皺だらけの口もとを動かす。「あんまり長く旅をつづけてると、帰る場所がわからなくなるからね」

そういえば年末に会ったときも、旅がどうこうと言っていたな、と多田は思い出した。

「旅行なんて、もう何年もしてませんよ。俺はずっとまほろにいます」

「そうかい？　私には、あんたの声がすごく遠い場所から聞こえてくるような気がするけど」

それは、ばあちゃんの耳が遠いからだ。多田は少し笑った。多田が笑ったことには気づかず、ばあちゃんは重そうにまぶたをしばたたかせて言った。

「適当なところで引き返してきたほうがいい」

「引き返さなかったら、どうなりますか？」

「迷子になる」

なるほど。「わかりました」と多田は言い、一礼して病室をあとにした。

軽トラックで事務所に戻り、翌日の仕事の準備をする。長靴とデッキブラシ。タワシとバケツも必要か。多田は思いついたものを次々に事務所のあちこちから持ってきて、それら全部を軽トラックの荷台に運んだ。

小山内町には、市内を流れる亀尾川《かめお》の最源流がある。まほろ市の最奥部、八王子市との境に位置する小山内町は、小高い丘に囲まれた田園地帯だ。谷になった湿地帯は古くから田畑として拓かれ、数軒の農家がいまも米や野菜を育てている。その一角で湧きだす小さな泉が、まほろ市を横断して横浜市に至り、最後は海にそそぐ一級河川・亀尾川の、生まれる瞬間の姿なのだった。

泉の周囲は、「源流公園」として整備されていた。遊歩道がめぐらされただけの、こぢんまりとしたものだ。近くに住む農家の人々が、好意で定期的に掃除しているらしい。

そのうちの一軒から、多田は依頼を受けた。近所のものがそろって掃除をする日に、遠方で行われる法事が重なってしまった。かわりに掃除してほしい、ということだった。ただでさえ人手が少ない地域なので、穴をあけるわけにはいかないのだろう。

ほとんどのまほろ市民は、公園の存在を知らない。多田も依頼が来るまでは、亀尾川の最源流が市内にあることすら知らなかった。打ち合わせがてら下見に行くと、泉は予想を裏切って、澄んでいるとは言えない水質だった。藻が繁殖し、水量も心もとない。それでも秋雨のなか、鴨が泉で水浴びしていた。

「この藻を取るのが、なかなか大変なのよ」

と、依頼人である中年女性は言った。「昔はもっとこんこんと湧いていたらしいんだけど、いまは山を崩して道や住宅地にしてるでしょう。それで水量が減って、こうなっちゃったみたいなのよねえ」

当然、洗剤を使うわけにもいかないので、泉の石を一個ずつ拾いあげては、タワシで地道に藻をこすり落とすらしい。

「一日中かがんで作業するから、かなり腰にくるわよー」

と依頼人は笑った。多田は正直、勘弁してくれと思ったが、泉を大切に思う付近住民の熱意は充分伝わってきたので、断ることができなかったのだ。

準備を終えると、もうすることもない。

きちんと飯粒を食べたい気分だったから、夕方の大通りを歩いて、チェーンの居酒屋に入った。日が暮れるのがずいぶん早くなり、街灯にも通りに面した窓にも、すべて明かりが灯っていた。

店ではキムチチャーハンと唐揚げを頼んだ。味つけが濃く、ビールをジョッキで飲んでも喉が渇いた。もう一杯注文したいところだったが、金に余裕があるわけでもないので、諦めて席を立った。

明日は晴れてくれないと困るな、と考えながら、多田は三十分ほどまほろ駅前をぶらついた。閉店間際のデパートを覗くわけでもなく、呼びこみの声に耳を貸すこともなく、地面だけを見て歩いた。

一人でいたい。だれかがいるとさびしいから。多田はそう思い、しかしそんなことを思う時点で、俺はもうとっくにさびしいのかもしれないなとも考えた。

あてのない散歩を終え、ねぐらにたどりついた多田は、応接ソファに出しっぱなしだった行天のタオルケットを毛布に替えた。仕切りのカーテンを引き、目覚ましをセットしてからベッドに入った。

表を走る車を、音を頼りに百二十四台まで数えたところで、なにをやってるんだ俺はと自分が怖くなった。あとはもう、なにも見ずなにも聞かずに眠るよう努めた。

五　事実は、ひとつ

バスから降りて、田んぼのあいだの道をやってきた行天に、居合わせた全員が注目した。行天は、紺地に真っ赤なハイビスカス柄がプリントされたアロハシャツに、竜の刺繍が入ったサテン素材のジャンパーを羽織っていた。「最後に棲息が確認されたのはふた昔ほどまえにさかのぼる、典型的なチンピラ」以外のなにものにも見えない。

そんなジャンパー、いまどきどこで売ってたんだ。多田がしゃがんだまま呆然とするうちに、

「なにやってるところ？」

と泉のほとりに立った行天が尋ねた。

「だから、掃除だ」

多田は、取り落とした石を泉に手をつっこんで拾いあげながら答えた。

「ふうん。岩海苔の収穫でも手伝ってんのかと思った」

バケツに溜まった藻を眺めながら、行天は煙草に火をつける。横で泉の清掃作業に励んでいた付近住民が、怯えたように多田の脇腹をつついた。多田はしかたなく、「うちで雇っているものです」と簡潔に説明した。

「そのわりに労災が下りなかったけどね」

と行天は言った。

多田は、「ちょっと失礼」と住民たちに断り、立ちあがって行天を公園の隅につれていった。

「なんで来る」

「手伝おうと思って」

「かがむこともできないのに、どうやって。いいから帰って窓を拭いてろ」

石をシコシコ磨くのに、行天ほど向いていない性格はない。窓なら面積があるし、背中を丸めなくてすむ。しかし行天は、適材適所を心がける雇用主としての多田の配慮を、まるで忖度《そんたく》して

くれなかった。

「藻が剝離する勢いで、水んなかで前転してあげよっか」

と、腹をさすりながら泉のほうへ戻ろうとする。

「待て待て待て。聞かなくてもわかるような気はするが、その服はどうした」

「コロンビア人がくれた。『迷惑かけて悪かったわねぇ。はい退院祝い』って」

やっぱり。多田はタワシを持っていないほうの手で、眉間《みけん》を揉む。掌にはなまぐさい水のにおいが染みついていた。

「便利屋は信用第一なんだ。その恰好は非常にまずい」

「なんで。汚れてないよ」

転がっていたデッキブラシを足で器用に起こし、行天は木製の遊歩道をこすりはじめる。背筋をのばしたまま、視線を地に落とすこともなくデッキブラシを操る姿は、油の足りない旧式のロボットみたいだった。明らかに動きが不自然な行天を、泉を囲んだみんながちらちら盗み見ている。

多田は石磨きの輪に戻り、わざとらしく嘆息してみせた。

「あいつ腹を手術して、今日退院したばっかりのくせに。仕事熱心なのも考えものだなあ」

「あらまあ、ご病気？　大丈夫なの？」

と、ひとのよさそうな老婦人が心配する。まぬけなことにヤク中の男に刺されたんですよ、とは言えない。多田は深刻な表情を崩さず、「一命は取りとめましたが……」と言葉を濁しておいた。嘘はついていない。

住民たちのあいだに、好意的な空気が流れた。重い病から生還したとたんに働く、服の趣味は妙だが感心な男。行天に対する評価が、そう定着しかけた。

次の依頼につなぐためのイメージ戦略が、もう少しで成功するというそのとき、白いバンが道を疾走してきた。静かな田んぼに、車から漏れる音楽の重低音が振りまかれる。

砂利を弾き飛ばしながら、車は公園の駐車場に停まった。窓に遮光フィルムを貼り、内部を覗けないようにしてある後部座席のドアが、勢いよく開く。降り立ったのは、両の耳殻にびっしりとピアスをつけた星だった。

「便利屋、ちょっと来い」

「仕事中です」

多田は新たな石を泉から拾った。住民たちは作業の手を止めて、多田と星を見比べている。

「だいたいどうして、この場所がわかったんですか」

「事務所に行ったら、カレンダーに『小山内町・源流公園』と書いてあった」

「鍵は」

「開いてたぞ」

「行天！」

多田が呼ぶと、行天はデッキブラシを引きずりながら近づいてきた。「おまえはなぜ戸締まりをしない」

鍵がかかっていようといまいと、星にとっては同じことだとわかっていたが、多田は言わずにはいられなかった。行天はもちろん、多田の言うことなど聞いてはいない。

「なにこのガキ」

と興味深そうに星の耳を見ている。多田が「おい」と怒っても、うるさげにうなるばかりだ。ピアスを目で数えているらしい。

星は行天など存在しないかのように無視して、

「しばらく身辺警護をしてほしい」

と言った。

「あんたのか」

多田が驚いて問うと、

「女子高生のだよ。うれしいだろ、便利屋」

と星は平坦な声音で答えた。

「あわせて十七個だ」

と行天が満足げにつぶやいた。

多田はまだ引き受けるとは言っていないのに、星はさっさとバンに戻っていった。入れ替わりにバンから降りたのは、スポーツバッグを肩にかけ、制服を着た美少女だった。

「新村清海《にいむらきよみ》です。まほろ高校二年。よろしく」

清海は手に持っていたむきだしの札束を、多田に押しつけた。「これ、星くんから。『清海にエロいことしたら、亀尾川のモクズにするって言っとけ』だって」

終わった、と多田は思った。住人たちはうつむいて、タワシで石をこすっている。この地域での新規顧客の開拓は絶望的だ。

「まほろ高校って私服でしょ。なんであんた、制服着てんの？」

と行天がほがらかに尋ねた。

「女子高生だからだよ、おっさん」

と清海は答えた。

居心地の悪い雰囲気のなか、多田が泉の清掃作業を終えたのは夕方のことだった。

清海は幌《ほろ》を張った軽トラックの荷台に乗って、事務所までついてきた。行天に運転を任せるのは危険だし、かといって行天を荷台に乗せたら腹の傷に響くかもしれないと思うと、ほかに選択肢がなかったのだ。

清海は楽しそうに、「あー、お尻が痛かった」と言いながら、事務所のビルの階段を上がった。スカート丈が短いので、多田は先を行く清海を見ないように、入居してはじめて階段の数を数えた。不吉なことに十三段だった。

「それで、どうしてきみの身辺警護をする必要があるのかな」

多田は、向かいのソファに座った清海に質問した。

「清海でいいよ」

「清海さん」

と多田は言い直す。「俺は便利屋で、腕っぷしには自信がない。身辺警護と言われても困る」

「星くんが、便利屋さんは困ったひとを助けてくれる便利屋さんだって言ってたよ」

事務所内をめずらしそうに見まわしながら、清海は言った。「その便利屋さんが困ってるなんて、困ったね」

飲み物を自分のぶんだけ用意していた行天が、台所からコーヒーカップを運んできた。上半身を折り曲げることなく、ホストのようにひざまずいて、ローテーブルにカップを置く。

「このひとの動き、ヘンじゃない？」

と清海は言った。

「ヘンなのは動きだけじゃないから、気にしないでいい」

と多田は言った。行天はそのまま膝で歩き、背中からソファにずりあがるようにして、多田の隣に座った。

「やっぱりまだ、腹具合がいまいちみたいだ。力を入れると出ちゃいそうな気がする」

行天は「内臓が」というつもりで言ったのだろうが、清海はべつの意味に解釈したようで、

「げっ、サイアク」と顔をしかめた。

「ところで俺、腕っぷしには自信あるけど」

と行天はふんぞりかえった姿勢で言い、カップを指した。多田はカップを取ってやり、行天に持たせた。中身は生《き》のままのウィスキーのようだった。

「それに、多田が困ったときには、俺がフォローする。共同経営者だから」

乗っ取られる。このままでは行天に事務所を乗っ取られる。多田は危機を感じ、

「いつからそういうことになった」

と小声で問いただした。

「面倒じゃない、いろいろ説明すんのが。信用第一なんでしょ」

行天はしれっとしてウィスキーをすすった。

「そっか。でもまあ、腕っぷしはいらないと思う」

と清海は言った。「ここにしばらく匿《かくま》ってほしいだけなの。マスコミがうるさいから」

「あー。あんたのこと、テレビで見たよ」

と行天が言ったので、多田は驚いて、

「アイドルかなんかなのか？」

と聞いた。そうであっても不思議ではないほど、清海がうつくしかったからだ。黒くつやつやした長い髪と、血管が透けて見えるほど白くなめらかな肌。小さな顔にアンバランスなほど大きな瞳。

だが清海は、「サイコー！　なにそれ、もしかして口説いてるつもり？」と笑い転げ、行天は、

「あんた、こんなときぐらいはワイドショーを見なよ」とあきれたように言った。

自分だって、入院していて暇だからテレビを見ていただけのくせに。多田はそう思いながらも、

「どういうことだ」

と尋ねた。行天は得意そうに種明かしした。

「このひと、後ろ姿だけど何度も登場してたんだよ。パークヒルズの殺人事件絡みでさ」

警察が行方を探している子の名前は、公表されていないが、芦原園子《あしはらそのこ》というらしい。パークヒルズで刺殺されていた夫婦の、一人娘だ。園子と友だちである清海は、まほろ高校前でリポーターたちに囲まれ、震える声でコメントした。

とっても心配です。早く見つかってほしい。さみしいです。園子、見てる？　さみしいよ。

園子、の部分の音に処理を施した映像が、繰り返し流れた。番組の製作者側は、清海の涙まじりの声と、ほっそりした後ろ姿が、視聴者の興味を引くと判断したのだろう。

「そしたらさあ、『目立ちたがり屋。クラスメートをネタにしてんじゃねえよ』って、学校でハブにされるし。マスコミはそのあとも、『園子さんがどんな子なのか、もうちょっと教えてくれない？』って、毎日うちまで来るし。親はキレるわ、教室でも居場所ないわで、さんざんだよ」

だから、ほとぼりが冷めるまでここに置いて。清海はさばさばした口調で言った。

「事情はわかったが、どうして俺が巻きこまれるのかがわからない」

多田はため息をついた。「星と知りあいなんだろ？　あいつのところにいればいいじゃないか」

「星くんは、『俺はカタギじゃないから、清海に迷惑がかかる』って」

「カタギじゃないやつと女子高生が、なんで知りあいなんだ」

「星くん、高校の二年先輩だもん。バスケ部のキャプテンで、チョーかっこよかったんだよー」

じゃあ、星はまだ未成年なのか。それなのにあんなに、まほろで幅をきかせているということは、高校在学中から表の顔と裏の顔を巧みに使いわけていたのだろう。多田はもう一度ため息をついた。ついていけない。チョーついていけないぞ。

コミュニケーションの基準が判然としないが、清海は多田のため息を了承の印と受け取ったようだ。制服のポケットから、きらきら光るシールがいっぱい貼ってある携帯電話を取りだし、なにやら報告をはじめた。

「あ、星くん？　便利屋さんねえ、引き受けてくれるって。うん、うん、大丈夫。腕っぷし弱いって言ってるから。もう一人のほうは、いま下痢みたいだし。エッチなことされそうになったら、よゆーで投げ飛ばして逃げれるって。あはは。うん、じゃね」

多田はうつろに、清海の携帯で揺れるお守りを見ていた。行天はからになったコーヒーカップを掌でもてあそびながら、いつものようににやにやした。

「それでさ、清海チャン」

天変地異の前触れか、行天が積極的に、電話を切った清海に話しかけた。「犯人は、やっぱり園子チャンなわけ？」

「なんでそんなこと聞くの。私が知るわけないじゃん」

「親を殺す人間に興味がある」

行天と清海は、しばしにらむように見つめあった。

「そうだよ」

清海の頬が、薄く笑いを象《かたど》った。「園子が殺した」

「どうして言いきれる」

多田は横合いから口を挟んだ。「いまきみは、知るわけないと言ったばかりじゃないか」

「なに、便利屋さん。まえは刑事だったの？」

「いいや。車の営業だ」

「そうなんだ！」

と行天がソファから身を起こしたが、腹に衝撃が走ったらしい。壊れた自動扉みたいに、異様にゆっくりと背もたれに体を戻した。戻しながら、

「それなら昔のツテで、もうちょっとまともな車を安く買えばいいのに」

と言う。

いまの軽トラで満足してるんだよ。余計なお世話だ。多田はそう思ったが、視線は清海からそらさずにいた。

「会ってすぐのひとに、本当のことをペラペラ話したくなかったから」

と、清海はふてくされたように白状した。

「見ず知らずのリポーターに対してはコメントしたじゃない」

と、行天が腹をさすりながら雑《ま》ぜ返す。

「見ず知らずじゃないもん。テレビで見て知ってるひとだったもん」

多田は会話の軌道修正を試みた。

「わかった。それで、テレビのリポーターでもない、きみとはさっき会ったばかりの俺たちに、なぜ急に『本当のこと』を言う気になった？」

「おっさんの目がマジで、こわかったし？」

清海は、どこまで本心なのかわからない調子で言った。「あのね、園子はオヤを殺したあとで、シャワー浴びて着替えてうちに来たんだよ。私はもちろんそんなこと知らなかったから、『どしたの、こんな時間に』って聞いた。『ううん、ちょっと清海と話したくなってさ』って園子は言ったよ。私はうちのオヤを起こさないように、台所に飲み物を取りにいった。それで部屋に戻ったら、園子はもういなかった。ついでに、私の財布もなくなってた」

「じゃあ、きみの財布の中身を資金に、園子さんは逃走してるんだね」

「そうだと思う。あんまり入ってなかったはずだけど」

「そのことを警察に話した？」

「……話した」

多田は一瞬、行天と目を見交わした。清海は毛先をいじった。

「ねえ、ここお風呂ないの？」


「どう思う」

銭湯「松の湯」で体を洗いながら、多田は行天に尋ねた。

「なにが」

多田からひとつ空けた蛇口のまえに仁王立ちし、行天は頭を洗っている。「松の湯」はいつもどおりすいていて、湯船に老人が数人いるだけだったが、多田は声をひそめた。

「本当に清海は園子と友だちなのか。清海の財布を園子が持っていったというのは本当なのか。それを清海が警察に話したというのは？　リポーターに対してコメントしたのは、金を盗られた腹いせだったのか。俺たちに話した意図はなんなのか」

行天が「お湯出して」と言ったので、多田は腕をのばして蛇口をひねってやった。

「さあね」

行天はシャンプーを流し終えると、やはり立ったまま体のほうに取りかかった。脚にはタオルが届かないので、自分の足の裏で交互に腿から下をこするだけだ。行天から飛んでくる泡と水滴をかぶりながら、「おいおい」と多田は顔をしかめた。

「おまえ、本当に治ったのか？　病院で酒飲んだり煙草吸ったりするから、早めに追いだされたんじゃないのか」

「痛くはないんだよ」

行天は、赤く盛りあがった腹の傷を指でたどった。「ただ、ひきつれる感じがして、できればかがみたくないだけ」

行天はシャワーを出しっぱなしにしたまま、さっさと湯船に向かった。二人分のシャワーを止めてから、多田も湯につかる。

「清海の言ったことが本当だとしたら」

照明を映して揺れる湯に、多田は肩まで沈んだ。「どうして園子は、殺したりしたんだろう」

「さあね」

湯船のなかでも立っている行天が、背後で肩をすくめたのが気配でわかった。「理由なんて、だれにもわからないでしょ。たぶん、本人にも。それはあとからついてくるものなんだから」

女湯のほうから、

「便利屋さん、おっさん、出るよー」

と清海の声が聞こえてきた。

「やっちゃったら、理由なんてあってもなくても同じだよ」

行天はそう言い、実質的には足浴だった入浴を切り上げ、湯船から出ていった。「やっちゃったという事実だけが残る」

たしかに、と多田は思った。

下駄箱のところで、多田が『神田川』をくちずさみながらしばらく待っていると、頭にタオルを巻いた清海が現れ、「なにその歌。ビンボーくさい」と言った。行天が「ひゃひゃひゃ」と笑い、煙草を吸いながら歩きだす。

「ほんとだー。あのひと、笑い声もヘンだー」

と清海が感心した。

清海がベッドを使い、多田と行天はそれぞれ応接ソファで眠ることになった。多田は寝返りも打てない狭さに辟易したが、行天は病院のベッドで広々と眠っていたことなど忘れたように、文句も言わずに早速石地蔵と化している。

仕切りのカーテンの向こうから、清海の寝息が聞こえてきた。

「行天、起きてるか」

と多田はささやいた。

「うん」

「銭湯帰りに、つけられていたよな」

「うん、オマワリサンだった」

「早坂さんか……」

マスコミではないのなら、まあいいか。と多田は思った。「クリーンではない市民」として、早坂にますますにらまれるのは腹立たしいが、いまは清海を匿うという依頼を達成することのほうが重要だ。

老若男女にかかわらず、依頼はなるべく引き受けること。なしくずしであろうと、一度引き受けたからには、依頼をきちんとこなすこと。それが、地域に密着して仕事をする便利屋としての、多田の理念だった。

「どうする？　砂糖売りに言って、うるさいオマワリサンを亀尾川のモクズにしてもらう？」

と行天が言った。多田は、「ただし、法律の範囲内で」という一言を、脳内で理念に書きくわえた。

「放っておけ。べつにこっちに後ろ暗いところはないんだ」

「さっきのあんたの、怒濤のような疑問だけど」

行天はあくびをしながら器用にしゃべった。「少なくとも、清海チャンが警察になにも話していないのはたしかだね」

「どうしてそう思う」

「もし話しているなら、園子チャンの足取りがとっくにつかめているはずだから」

「そうか？」

「うん。まあ、勘だけどね」

行天はそれきり黙った。いくらも入っていなかったという清海の財布を、芦原園子はなぜ持っていったのだろう、と思ったのを最後に、多田もいつのまにか眠っていた。


清海は三日間、自分の家へ帰らず、学校にも行かなかった。パークヒルズの殺人事件は、芦原園子が見つからないまま、発生から十日を過ぎて膠着状態にあった。

清海の親は、娘の動向に無関心なようだ。一日一回、清海が電話を入れて「友だちの家にいる」と言えば、それで済んでしまうらしい。多田にとっては信じられないことだった。

行天はふだんに輪をかけて使いものにならないので、多田は清海に仕事を手伝ってもらうことにした。こまごまとした依頼が、毎日詰まっている。洗車や買い物の代行。ものすごく散らかった部屋から、保険証を探しだす手伝い。掃除や犬の散歩など。

かわりに多田は、行天に朝食作りを命じた。清海ぐらいの年ごろの子には、きちんと朝ご飯を食べさせたほうがいいだろうと思ったからだ。

居候のくせに、多田と二人のときは料理などいっさいしない行天は、半分眠ったままおとなしく清海のためにフライパンを振った。手抜きもいいところのメニューで、ひとつの皿に黄身のにじんだ目玉焼きが三枚のっていて、それを各自のトーストを取り皿がわりに食べるだけのものだったが、清海は喜んだ。「起きたら朝ご飯があるなんて、幼稚園生以来だよ」と。

行天の作った朝食をとったら、事務所を出発する。

清海は、行天よりもよっぽど気をまわして働いたが、「謎だなあ、この仕事」とも言った。旅行中の飼い主にかわって、濡れ縁に置かれた猫のための餌皿に、乾燥フードを注いでいるときのことだった。

「自分でやればいいのにって依頼がほとんどじゃない。この餌だって、旅行のあいだぐらい近所のひとに頼めばいいんだしさ。どうしてわざわざ、お金払うひとがいるんだろ」

「おかげで俺は、飯を食っていける」

多田は深皿に新鮮な水を入れて、餌の隣に置いた。「金を払ってでも雑事から解放されたい、ってときがあるんだよ」

生活に追われたことも、生活のために金を稼いだこともない少女には、架空の国に住むひとたちの話に聞こえたようだった。そういうもの？　と、おとぎ話のつづきをねだるような表情で首をかしげた。

多田は清海をうながし、軽トラックに乗りこむ。

「便利屋さんは、どうして車の営業をやめて便利屋さんになったの？」

「どうしてって……。理由はまあ、いろいろある」

「そのなかで、特に『これ』っていうのは？」

「だれかに助けを求めることができたら、と思ったことがあったからだ。近しいひとじゃなく、気軽に相談したり頼んだりできる遠い存在のほうが、救いになることもあるのかもしれないと」

「そっか。それで、あのおっさんと開業したんだ」

そこは事実と違うが、いまさら説明するのも厄介なので、多田は黙っていた。

「便利屋さんもおっさんも、家族いないの？」

「いないよ。どっちもバツイチだ」

「ムサいなあ」

清海は笑う。「でもいいね、友だちと暮らして、一緒に仕事するなんて」

ちっともよくない。しかも行天はべつに友だちってわけじゃない。心で反論した多田は、「そうか、この子にとっての人間関係は、まだ言葉で規定できるものばかりなんだな」と気づいた。大人になると、友だちでも知りあいでもない、微妙な距離のつきあいが増える。ふつうだったら、行天は「仕事仲間」に分類されるのかもしれないが、行天はふつうじゃないので、それもピンとこなかった。

「学校行かなくていいのか。友だちに会えないだろ」

運転しながら多田がそう聞くと、携帯でメールを打っていた清海は、

「いいの」

と唇をとがらせた。「私の友だちって、園子ぐらいだし」

「じゃ、いまだれにメール打ってたんだ。園子ちゃんか？」

「ブー。星くんですぅ。園子は携帯を置いていってると思う。あの子、賢いもん」

清海の手から、携帯についたまほろ天神のお守りがこぼれ、軽トラックの振動にあわせて震えた。お守りには「えんむすび」と書いてあった。

「ねえ、便利屋さん」

と清海は言った。「だれかをすごく傷つけちゃったことある？」

「それはまあ、いろいろある」

「いろいろばっかり。たとえば？」

多田は、助手席に座る清海をちらりと見た。清海は、なにかに駆り立てられているような、なにかを追いつめているような、激しく静かな眼差しをフロントガラスに注いでいた。

「たとえば、行天の小指の傷跡に気がついたか？」

「うん。すごい怪我だったんだなと思った」

「すごかった。指がポーンと飛んだ」

「うっそ、マジ？」

「高校時代の話だよ。怪我の原因は俺にある」

「……どういうこと？」

「工芸の時間に、何人かがふざけていて、裁断機を使っていた行天にぶつかった。そいつらは、俺が出しっぱなしにしていた椅子に引っかかって、バランスを崩したんだ」

「でもそれは、だれにも悪気はなかったわけだし、事故でしょ？」

「そうじゃない。俺は行天がきらいだった。なにを考えてるのかわからない、不気味なやつだと思った。きっと、自分のことを特別な人間だと勘違いしてるんだろう。何様だ、とイライラした」

事実を語るのは、どれだけ時間を経ても苦しかった。「ふざけているやつらを見て、危ないなと俺は思った。思ったうえで、道具を取りに席を立つとき、わざと椅子を出しっぱなしにしたんだ。この位置なら、もしかしたら椅子につまずいたやつらが、行天にぶつかるかもしれない。そうなったら、いくら行天だって、さすがになにか反応を示すだろう、と」

魔が差したとしか言いようがない。まさか本当に椅子に引っかかるとは思わなかった。あんな大怪我をさせようなんて思ってもいなかった。ただちょっと驚かせて、いい気味だと笑いたかっただけだ。

なにを言っても、いまさら取り返しがつかない。どんな言い訳もできない。

行天の指は切り落とされてしまった。

自分のやったことだけが、事実としていつまでも苦く残る。

「ふざけていたやつらは、行天に泣いて謝った。俺は謝ることができなかった。しでかしたことを告白する勇気がなかったし、黙っていればばれないとも思ったからだ。だがたぶん、行天は気づいていた。床に落ちた指を拾ったとき、あいつは転がっていた椅子を見た。それだけであいつは、だれが座っていた椅子なのか、なにがどうして起こったのか、すべて悟ったと思う。俺があいつをきらっていたことを、あいつはちゃんと知ってた」

そしてだれよりも多田自身が、自分の悪意に気づいていた。

清海は黙って、多田の話を聞いていた。多田が話し終えても、なにも言わなかった。

事務所のまえに軽トラックを停め、多田は清海を先に降ろした。多田が駐車場から戻ると、事務所のなかでは行天と清海が、夕飯を焼きそばにするかうどんにするかで揉めていた。

「焼きうどんにしろ」

と多田は言った。

行天も清海も、不本意そうな顔で焼きうどんを食べた。食べ終わったところで、清海の携帯に星から連絡が入った。清海がいそいそと事務所から出ていく。多田と行天が窓から通りを見下ろすと、ビルのまえに停まったバンから、星が降りたところだった。

星の腕に自分の腕を絡ませた清海が、楽しそうになにか言った。星が笑う。清海につづいてバンに乗ろうとしていた星の背に、多田は窓から身を乗りだして声をかけた。

「星さん、あなたの携帯についてるお守り、『えんむすび』でしょう」

事務所の窓を振り仰いだ星は、頬を少し赤くして「悪いか」と言った。

「おとなげないねえ、あんた」

と行天に言われても聞き流せるぐらい、多田は満足した。

窓から離れ、皿を流しに運んだ行天が、

「さて、清海チャンがいないうちに、ビデオを見にいこうよ」

と唐突に提案した。壁に掛けてあったジャンパーを手に取る。経費の計算でもしようと電卓を探していた多田は、ドアロに立つ行天を振り返った。

「なんのビデオだ。どこ行くんだ。俺は行かないぞ」

「すごくイイビデオなのに、残念だね。じゃ、俺一人で行く。車借りるよ」

行天はいつのまにすり取ったのか、多田がジーンズのポケットに入れていたはずの軽トラックのキーを、指先に引っかけていた。

愛車が大破する可能性と、趣味である経費の計算を天秤にかけ、多田は行天の指示どおりに軽トラックを走らせることを選んだ。行天が向かったのは、パークヒルズの由良の家だった。

「夕方、電話しておいたんだよ」

行天がチャイムを鳴らすと、玄関はすぐに開いた。

「いまはなんのアニメを見てるところ?」

と、行天は由良の顔を見たとたんに聞いた。

「なにも見てないよ。最近、勉強が忙しくてね。入って」

三カ月ぶりに会う由良は、少しおとなびた感じがした。

「元気そうだな、由良公」

と多田が言うと、由良はちょっと照れたように、無愛想にうなずく。塾から帰ってきたばかりなのか、リビングには見慣れた鞄が置いてあった。あいかわらず、両親は帰宅が遅いようだ。

「頼んでおいたビデオ、見せて」

と言った行天に、由良は一本のビデオテープを渡した。行天にかわって、多田がデッキのまえにしゃがみ、ビデオをセットした。

「なんのビデオだ？　変なものじゃないだろうな」

「ワイドショーだよ」

由良がキッチンから答えた。「母さんが録画してるんだ。ここに住んでるひとはみんな、いまは事件の話しかしてないと思うな」

人数分のコップにつがれたコーラが、テーブルに置かれた。多田と由良はソファに座り、その横に立った行天が、テレビ画面に再生された映像をリモコンで早送りした。

「なんで座んないの」

と由良が怪訝そうに行天を見上げる。

「気にしないでいい」

と多田は言った。

「ここだ！」

行天は叫び、早送りするのをやめた。画面には、マイクを向けるリポーターの顔と、清海の後ろ姿が映しだされている。

「どう？」

画面を一時停止させ、行天が聞いてきた。なにが「どう？」なのかわからず、

「思ったよりも真情にあふれてるな」

と多田は感想を述べた。

「こんなの見てどうすんの？」

と由良はつまらなそうにコーラを飲んでいる。

「あんたたち、不感症なんじゃない？」

不服そうに眉を上げた行天に、

「小学生のまえでそういう言葉を使うな」

と多田は注意した。

「もう一度、よく味わうように」

行天はビデオを少し巻き戻し、同じシーンを再生した。

とっても心配です。早く見つかってほしい。さみしいです。園子、見てる？　さ、さみしいよ。

「これがなんなんだ、行天。はっきり言え」

「まだわかんないの。この映像には、たくさんの真実が映ってるじゃない」

と行天はため息をついた。

「たとえば？」

由良は興味を引かれたらしく、コップをテーブルに戻して座り直した。

「清海チャンは、いなくなった友だちを本気で心配している。清海チャンは、いなくなった友だちになにかを伝えようとしている」

と行天は言い、

「なにかって？」

と問うた多田を見下ろして、哀れむように笑いかけてきた。

「被害者が血で書いたダイイングメッセージを、噴いた鼻血で消しちゃうタイプだねえ、多田は」


由良の住むマンションの棟から出て、駐車場へ向かって歩いていた多田と行天に、声をかけてくるものがあった。

「多田さん、偶然だな。ここでなにをしてるんですか？」

街灯の光が届くぎりぎりの場所に立っているのは、まほろ署の早坂だった。早坂は、隣にいた相棒らしい男になにか言い、一人で多田のほうに近寄ってきた。

「仕事ですよ」

と多田は答え、煙草をくわえた。箱を差しだすと、早坂は遠慮するそぶりも見せずに一本抜き取った。

「本庁から来てるやつなんですが、嫌煙派でね」

街灯のところで待っている男を、早坂は少し頭を動かすことで指し示した。「なかなか吸えなくて、まいりますよ」

「じゃ、俺たちはこれで」

さっさと歩きだそうとした多田を、早坂は「まあ待ってよ多田さん」と呼び止める。

「新村清海が多田さんとこにいるみたいだけど、あれどうして？」

「仕事ですよ」

と多田はまた答えた。

「どんな」

「取材に一度応じたら、マスコミがうるさくつきまとうようになったらしい。ほとぼりが冷めるまで学校にも家にもいられないから、うちでアルバイトさせてほしいってことでして。早く事件を解決してもらわないと、彼女の出席日数が足りなくなっちゃいますよ」

「どんなツテで、あなたのところに？」

「うちが配ってるビラを見たんでしょう」

早坂は肺から煙を吐くあいだ、多田をじっと見ていた。多田は腹に力をこめ、退かずに早坂の視線を受け止めた。

「解決するには、芦原園子を見つける必要がある」

と早坂は言った。「なにか聞いてませんか、多田さん」

「聞いていたら、とっくに早坂さんに言ってますよ。クリーンな市民ですから」

「行天さん」

早坂は急に、少し離れた場所で我関せずとばかりに煙草をふかしていた行天を呼んだ。「退院なさったんですね、おめでとう。もう不自由ありませんか」

「ちょっとひねりに自信がないかな」

と行天は答え、落とした腰を軸にぶんぶんと拳を繰りだしてみせた。「リハビリの相手になってくれる？」

「……気が向いたら、連絡をください。署のほうでも、携帯でもいいですから」

早坂は多田の手に名刺を押しつけ、煙草を吸わない相棒と闇のなかに去っていった。

「さあ、急いで帰らないと」

多田がうながすと、

「いたたた」

と腹を押さえながら、行天もあとをついてきた。

「無理するからだ。本当に出ちゃっても知らねえぞ」

早坂の名刺を丸め、多田は駐車場のくずかごに投げ入れた。

多田と行天が事務所に戻ってすぐ、清海も星とのデートから帰ってきた。ソファに座った多田と、座ろうとずりあがっている途中だった行天から視線の集中砲火を浴び、「なによ」と戸口で立ちすくむ。

「話がある」

多田が手で示すと、清海はおとなしく事務所に入ってきて、向かいのソファに腰かけた。「きみは、知っていることを警察に話したと言ったが、それは嘘だね」

また「きみ」に戻ってる、と清海は不満そうに言ったが、多田は無視して返事を待った。やがて清海は、

「どうしてそう思うの」

と、かすれた声で聞いた。

「さっき、まほろ署の刑事に会った。彼はなにも知らないようだった」

「でも清海チャンは、嘘ばかりを俺たちに言ったわけでもない」

やっとソファの座面に身を落ち着けた行天が、だらりとのけぞり、天井を見上げた恰好でつけくわえる。「俺たちが謎解きをしてみせたほうがいい？　それともあんたが自分から話す？」

「話したくない」

「じゃ、こっちで勝手にやるね。多田、出番だ」

「なんで俺が」

「俺はもう、腹筋を極力使いたくない。医療過誤で市民病院を訴えようかな」

「百パーセント、自業自得で敗訴だ」

気が重い役目を割り振られ、多田はしばらく話す順番を考えた。清海は毛先に指を絡めながら、多田の言葉を待っている。

「清海さん、きみは芦原園子さんの逃亡を手伝ってるね」

「まさかぁ。ひとを殺した子を逃がす手伝いなんかしたら、私も捕まっちゃうじゃん。しないよ、そんなこと」

「いいや。きみはテレビを通して、園子さんにメッセージを送っている。『さみしい』と。これは、きみのキャッシュカードの暗証番号だ」

行天が、由良の部屋でビデオを再生しながら説明したことだ。清海は髪から離した手を、静かに膝に下ろした。

「3341で『さみしい』って、そんな暗証番号はどうかと思うけど」

と、行天はあいかわらずソファでのけぞったまま笑った。

「絶対に忘れられない言葉でしょう?」

清海は諦めたように、多田を正面から見据えてきた。「そうだよ。私はテレビを利用して、カードの暗証番号を園子に教えた。捕まらないでほしいから」

「彼女は両親を殺したんだろう。自首をすすめようとは思わなかったのか」

清海はうっすらと笑った。

「ねえ、便利屋さん。園子は事件を起こす日の夕方、学校で私に言ったんだよ。『今夜あたり、オヤを殺しちゃうかもしれない』って。私は信じなかった。『やめときなよお』って、ヘンに明るく言っただけだった。園子が本気だとは思わなかったから。私が本気にしたら、園子も本気になりそうで怖かったから。便利屋さんと同じだよ。勇気がなかったし、ずるかった。園子がお父さんから暴力をふるわれていて、お母さんがそれを見ないふりしてるらしいことに、私はなんとなく気づいてたのに」

「殴られてたのか?」

「殴られたり蹴られたりもしてたみたい」

多田は清海が示唆していることの意味を察し、それ以上踏みこむことをやめた。行天は天井を見たまま、ゆっくりと煙草を吸いはじめた。

「園子はもう一度、私にチャンスをくれたんだよ。肝心なときに助けにならなくて、園子を傷つけちゃった私に。夜になって園子はうちに来て、なにも言わずにこっそり私の財布を持っていった。キャッシュカード以外は、役に立つものがほとんど入ってない財布を」

芦原園子にとって、それは賭けだったのだろう。財布を持ちだした意図を汲んで、新村清海が協力してくれるか否か。殺した両親や自分のキャッシュカードを使ったら、居場所はすぐに判明してしまう。芦原園子は、友だちに罪が及ばないギリギリのラインを綱渡りしながら、同時に友情を試したのだ。

「警察に言う気はないんだね？」

多田はもう一度確認した。

「ないよ。自首するかどうかは、園子が決めればいい。私は今度こそ、まちがわない。たった一人でいまもどこかを逃げてる園子に、私は味方だよって態度で言いつづける」

「どうして園子チャンは、財布ごと持っていったんだと思う？」

行天はまどろっこしいほど時間をかけて上半身を起こし、煙草を灰皿でねじ消した。

「カードだけ抜いていったんじゃ、私が気づくのが遅れると思ったから？」

「夢がないね」

行天は唇の端に穏やかな笑みを浮かべた。「あんたの財布だったからだよ。あんたを大切な友だちだと思ってるから、園子チャンはお守りがわりに財布ごと持っていったんだ」

「なんでこんなことになっちゃったんだろう」

清海の頬を、涙が一筋つたった。「なんで私は、こうなるまでなにも気がつかないふりをしていたんだろう」

うつむいて震えている清海を、多田はしばらく見守っていた。

「どうするべきだ」

多田は小声で行天に尋ねた。

「エロいことしたら、砂糖売りにモクズにされちゃうしね。黙って泣かせといてあげなよ」

と行天はささやき返した。

「聞こえてんだよ、おっさんたち」

と清海は言い、鼻をすすってから顔を上げた。泣いていても、清海はうつくしく凜《りん》としていた。

芦原園子から、清海の携帯に連絡が入ったのは、翌朝早くのことだった。まだひとけのない南口ロータリーを横切って、芦原園子は多田たちのまえに現れた。

清海と芦原園子は向きあって立ったとたん、動物が仲間のにおいを嗅ぎあうみたいに、一瞬ぎゅっと抱きあった。多田は、欲も駆け引きもない純粋な抱擁を、もしかしたらはじめて見たかもしれないと思った。

「警察のひとですか?」

と、清海と体を離した園子は聞いた。とても疲れているようではあったが、賢そうなきれいな子だった。

「いいえ、便利屋です」

と多田は答え、行天とともに離れたところで、少女たちの話が終わるのを待った。二人は真剣な表情でなにごとか語りあっていたが、やがて清海が、

「便利屋さん」

と呼んだ。「園子が、警察には家にあったお金を使ってたって言うって、きかないの。私、そんなのやだよ。説得して」

二人の少女のそばに戻ると、清海はすがるような目で、園子はすべての覚悟を決めた目で、多田と行天を見上げてきた。

「いいんじゃないの、園子チャンがそうしたいって言うならそれで」

多田が結論を出すより早く、行天はあっさりと断じた。園子は「ほらね」というように、清海に微笑みかける。

「そのかわり、まほろ署のまえまで一緒についてきてよ、清海。私がまた、途中で逃げださないように。ね？」

清海はずいぶん長いあいだ黙ってから、ようやくうなずいた。

「送ろう」

と多田は申し出た。

多田がのろのろと走らせた軽トラックの荷台で、少女たちがどんな会話を交わしたのかは知らない。荷台から降りた園子は、

「また会えるといいね」

と清海に言った。

「会えるよ。私、ずっとまほろにいるから」

と清海は迷いなく答えた。園子は晴れやかな表情で、多田と行天に会釈し、清海にちょっと手を振ってから、まほろ警察署の正面玄関に消えていった。その場にじっとたたずむ三人のかたわらで、署から飛びだしてきた記者らしい何人かが電話をかけはじめる。

「さあ帰ろう」

と多田は言った。

清海は軽トラックの荷台に乗ろうとして、動きを止めた。

「ねえ、便利屋さん。私このまま、学校に行くよ。まほろ高校まで送って」

「それはかまわないが、荷物はどうする」

「置いといて。暇なときに寄るから。星くんに取りにいってもらってもいいし」

「それはいやだな。あいつが来るとろくなことがない」

と多田はぼやいた。

まほろ高校は、多田と行天が通っていたころとなにも変わらず、生徒たちが登校してくるのを待っていた。花壇の片隅に立つ、ペンキがはげたトーテムポール。タイルがあちこち剝落した、外壁にはめこまれた虹を模した巨大モザイク。

工芸室はどこだっただろう。多田は目で探したが、並んだ窓ガラスは朝日を弾いて輝くばかりで、正確な位置は思い出せなかった。

グラウンドから、朝練をする運動部の声が聞こえてくる。校舎はまだひっそりと静まり返っている。

清海は多田と行天に、「いろいろありがと」と言った。

「会った日の夜に、どうして本当のことを言う気になったのか、って聞いたでしょ？　たぶん、便利屋さんたちが本気だったからだよ。本気で、私の話を聞こうとしてたから」

私服姿の清海は、なにも持たずなにも鎧《よろ》わず、毅然とした足取りで校門をくぐった。ずっとまえ、卒業式の日に一歩を踏みだして以来、多田が一度も越えることのなかった境界を、清海はいま軽々と行き来している。

「おっさん、早く下痢治してね。いくらなんでも長引きすぎだよ」

じゃあねと言うと、清海はもう振り返らずに昇降口のほうへ歩いていった。

「下痢じゃないっての」

行天は慎重に助手席に上がった。

駅へ向かう車が増えている。冷たく湿った朝の空気のなか、人々が新しい一日をはじめるために動きだす。

「あんた、まだ気にしてるんだってね」

行天は煙草に火をつけ、ライターをしまうついでに右手をひらひらとかざしてみせた。清海か、といまいましく思いながら、多田は「べつに」と答えた。

「ばかだなあ」

行天は笑い、軽トラックの窓を細く開けた。

「あなたが噛んだ、小指が痛い〜」

調子っぱずれの行天の歌声が、薄い水色をした空にのぼっていく。

「噛んでない！」

と多田は厳重に抗議し、混雑した駅前を迂回して事務所に戻っていった。空のとても高いところを、黒い鳥の影が舞っていた。

小さな泉は川になり、いつかは清らかな海に流れつく。鳥はどんなに強い風のなかでも羽ばたいて、いつかは仲間とともに約束の園にたどりつく。

そうであったらいい。せめてそうだと信じたい。多田は思い、行天の歌声をかき消すためにラジオをつけた。

七時のニュースがはじまろうとしていた。

のりば

六　あのバス停で、また会おう

多田便利軒は十二月に、年間で最大の繁忙期を迎える。

一年がそろそろ終わりに近づくと、人々は身辺をさっぱりさせたくなるものらしい。多田は一日に何件もの依頼をこなし、まほろ市内を連日駆けまわった。たいして役にも立たないが、行天も一緒になって駆けまわっていた。

大半の仕事が、ガレージの片づけや部屋の掃除だが、なかには変わった依頼もある。

「ずっと好きだった男につきあってくれって言われたから、クリスマスまでに、いまつきあってる男と別れたいんだってさ」

多田は銭湯から戻ってきたとたん、電話番をしていた行天にそう言われた。

「なんの話だ」

「新しいお仕事」

渡されたメモを、多田は眺める。行天の汚い字で、篠原利世《りよ》という名と連絡先が書きつけてあった。

「引き受けたのか」

「いけなかった？　あんた最近、檻《おり》のなかのクマみたいにうろうろうろうろ働いてるじゃない。借金返済に追われてんのかなあと思って、仕事入れたんだけど」

「借金はない。忙しくしてんのは、そういう時期だからだ。なんでこんな、ややこしそうな依頼を受けるんだよ。別れたきゃ自力で別れりゃいいだろうが」

「それができないから、便利屋に依頼するんでしょ。強く迫られると、いやなものをいやと言えない性格のひとっているからねえ」

たとえば宇宙人の侵攻にさらされ、地球を救えるのはきみしかいない、私たちのために戦ってくれ、と世界中の人間から頼まれたとしても、気が乗らなかったら「いやだ」と断れるのが行天だ。そういう意味では意志のひとであるくせに、行天が篠原利世からの依頼を引き受けた理由は、二つしか考えられない。ひとつは気まぐれ、もうひとつは多田へのいやがらせだ。

「おまえが行け」

多田は行天にメモを返した。どんな依頼でも引き受ける方針ではあるが、男女間のいざこざにはなるべくかかわりあいたくなかった。

「えぇー。なんで」

「そろそろ独り立ちしてもいいだろう。うまくいったら、便利屋の免許皆伝をやる」

多田はもっともらしく言った。行天は不満そうに、「いらない」とソファに寝転がる。どうして俺は、居候にこんなでかいツラされなきゃならないんだ？　と思いながら、多田は説得態勢に入った。

「おまえの得意分野じゃないか。ハイシーだって、すごく感謝していた。あの調子で、ちょろちょろっと片づければいい」

「あのときと同じ方法で？　そんなら簡単だけど」

少し気を引かれたのか、行天が顔を上げる。

「ハイシーのときの百倍ぐらい穏便に、法律の範囲内で、だ」

多田は急いで言い足した。ハイシーに言い寄っていた男が血まみれになるまで殴られ、しかもまほろ市から忽然と姿を消し、おまけに行天が瀕死の重傷を負ったことを思い出したからだ。

「面倒くさいねえ、免許皆伝は」

行天は毛布をかぶった。「いいよ、俺がなんとかする。頼まれたらいやと言えない性格だから」

いろいろ反論したいことはあったが、多田もおとなしく自分のベッドに入った。一年近くにおよぶ同居生活で、諦めと寛容こそが、行天の理不尽への対処策だと学んでいたからだ。

街灯の明かりが天井に射しているのを見ながら、多田は眠りが訪れるのを待った。やがて布団の重みと同じぐらいの、やわらかな睡魔に身を委ねようとしたとき、仕切りの向こうから行天が声をかけてきた。

「多田」

間の悪いやつだなと多田が黙っていると、しばしためらいの気配を漂わせたのち、行天はつづけた。「俺、ここを出ていったほうがいいか」

独り立ちと言ったことを気にしたのだと、すぐにわかった。肯定か無視をしてやりたかったが、本当にそうできるようなら、こんなに長いあいだ、行天に事務所に居座られたりなどせずにすんだ。我ながらおひとよしだと思いつつ、多田は言った。

「どっちでもいい。どうせいまさらだ」

行天の返答を待つ。聞こえてきたのは健康そうな寝息だった。

なんなんだ、こいつは。

やり場のない憤りと、すっかり覚醒してしまった意識を抱え、多田は一人、夜のなかにまぬけに取り残されていた。

数日後、行天は篠原利世の依頼に応えるため、ふらふらと出かけていった。行天が例の派手すぎるジャンパーを着ているのが、多田はちょっと引っかかった。篠原利世の新しい恋人のふりをして、いまの恋人に別れを告げる作戦のはずだ。そのチンピラジャンパーはまずいんじゃないのかと言おうとして、多田は思い直す。

放っておけばいい。多田も依頼で手一杯なのだ。

午後には、多田は自分の見込みの甘さを思い知らされていた。一人暮らしの老人の家で、せっせと家具の移動をしているところへ、行天から連絡が入ったのだ。

「悪いんだけどさあ、迎えにきてくれない」

と行天は言った。

「ちょっと待て」

と多田は言い、作業を見守っていた老婦人に、携帯電話を預けた。片腕と腰で支えていたカラーボックスを慎重に床に下ろし、「すみません」と老婦人に断って再び携帯を手にする。

「なんだって？」

「迎えにきてほしい。山城町五の二十一、ハイツ花園二〇一号室」

「どうしたんだ」

「バスに乗れないんだよね。じゃ、待ってるから」

わけがわからないまま、通話は切れた。

「なにかあったの？」

と老婦人に心配そうに尋ねられ、多田は首を振った。大切な常連客だ。なぜだかバスに乗れない男になど、かまっている場合ではない。

「いや、なにも。これは隣の部屋でいいですか？」

篠原利世のアパートは、顧客の一人である岡の家よりもさらに奥まった、山城町の畑のなかにあった。

老婦人の部屋の模様替えを終え、軽トラックを走らせた多田が呼び鈴を押すと、玄関のドアが開いて行天が顔を出した。シャワーを浴びたらしく、髪は濡れ、素肌にジャンパーを羽織っている。

「遅い」

と行天は言った。多田はめまいを感じた。

「おまえはなにをしてるんだ。恋人のふりでいいんだ、ふりで。依頼人といったいナニをしてるんだおまえは。信用問題だぞこれは」

「あんたちょっと落ち着いたら」

と行天は笑い、

「ごめんなさい、こんなことになって」

と部屋のなかにいた篠原利世は泣きだした。

多田と行天と篠原は、ローテーブルを囲んで座った。篠原は、大学三年生だと言った。アルバイト先の男とつきあっていたのだが、このたび憧れていた大学の先輩から告白されたので、多田便利軒に依頼したのだそうだ。

「それで今日、旧彼が来るので、行天さんにいてもらったんですが……」

「キュウカレ?」

聞いたこともない単語に多田がたじろいでいると、

「アルバイト先の男のことだよ」

と行天が耳打ちした。「大学の男のほうは、新彼《シンカレ》。今彼《イマカレ》、元彼《モトカレ》って言うほど、はっきりしたつきあいがはじまってても終わってもいないから、新彼、旧彼なんだって」

「ああ……」

ニュアンスがよくわからん、と思いながら、多田は曖昧にうなずく。

「旧彼は全然納得してくれなくって」

篠原は横隔膜を震わせて涙をこぼす。

最初は穏やかに、三者で別れ話をしていたのだが、旧彼は突然激昂し、「利世はだまされてんだよ。こんな趣味の悪い男を選ぶなんて、俺は認めないからな」と暴れはじめたらしい。

多田はいやな予感を覚えた。

「それで？」

「それで、こっちもキレてやったんだよ」

行天は飄々と語った。「びびらせるのが一番だから、旧彼を上まわるキレぶりで。ね？」

「はい」

と、篠原が潤んだ瞳で行天を見つめる。行天の所業を思い出して怯えているのか、行天の勇姿に胸打たれたのか、どっちともつかない表情だった。

「認めねえってのはどういう意味だよ、おまえに認めていただく義理はねえっつうの、わかったかこら、利世につきまとったりしたら殺すぞガキ！　って吼《ほ》えながら、首根っこつかんで部屋の外につれだしてさ。ついでにアパートの壁をガンガン殴って、自分の額もがっつんがっつん壁に打ちつけて。かなり狂犬って感じ？　あんたが『法律の範囲内で』なんてまどろっこしいこと言うから、旧彼を殴れないもんで苦労したよ。おかげで鼻血がドパーッと出ちゃって、シャツが血まみれ」

行天のシャツはカーテンレールに吊され、エアコンの吹き出し口近くで揺れていた。風呂場で洗っても落ちなかった血の染みが、胸元から腹あたりまで残るシャツだ。ローテーブルに置かれた行天の両手も、指のつけ根あたりの甲の皮が破け、血をにじませている。

「それで、俺を呼んだのか」

「うん。まだシャツが湿ってるし」

「ジャンパー一枚でバスに乗って帰りゃあいいだろ」

「寒いじゃない」

多田は立ちあがった。

「次の依頼が入ってるので、これで失礼します。まだキュウカレがうろつくようでしたら、ご連絡ください。行くぞ、行天」

「えぇー。まだ仕事すんの。バスで帰ればよかった」

篠原に玄関先で見送られ、多田と行天は部屋をあとにした。

「別れ話に便利屋を駆りだす、か。おとなしそうな顔してるのに、修羅場だな」

多田はぼやいた。

「おとなしい女なんていないないでしょ。俺は見たことない」

路上駐車していた軽トラックに乗りこむと、行天は湿ったシャツをダッシュボードのうえに放った。「こーんなに襟ぐりの開いた服を着て、わざわざ自分の部屋で別れ話だよ？　壮絶に好戦的でおもしろかった」

「おまえは、もうちょっと壮絶じゃない方法を選べなかったのか」

暖房のつまみを強にしながら、多田は言わずにはいられなかった。

「たとえば？」

「言葉でわかってもらえばいいだろ」

「暴力で脅すほうが、手っ取り早くて有効なときだってある」

行天はどこか得意気だ。「いいじゃない、旧彼を殴ったわけじゃないんだからさ」

だが、無駄に自分を痛めつけただろう。そう言いかけた多田は、行天の破けた皮膚を見た。たしかに、言葉でだれかと理解しあえたことなどなかったような気がして、なにも言えなくなった。

傷の手当てをしに、事務所へ寄る時間はなさそうだ。山城町を出た軽トラックは、まほろ市の西部へ進路を取った。


峰岸町には二つの大学のキャンパスがあり、もとは畑だった場所を区画整理した、なだらかな風景が広がる。

交通量の少ない道路沿いは、新しく開発された住宅地だ。ログハウスだったり古民家を移築したものだったり北欧風で煙突があったりと、時空を超越した一戸建てが隣りあって並んでいた。

依頼をくれた木村家は、通りを一本入ったところにあった。以前から峰岸町に住んでいるらしく、二階建ての簡素な家だ。悪夢のような家々のつらなりを見たあとだと、茶色いペンキを塗った木製の外壁には、なんだかホッとさせられた。

多田と同じことを思ったのか、軽トラックから降りた行天は、

「のび太くんの家みたいだ。いまどき、かえってめずらしいよね」

と言った。

ブロック塀についたインターホンを押す。すぐに玄関が開き、五十代後半ぐらいの女性が、

「便利屋さん？　どうぞ入って」と手招きした。依頼人の木村妙子だった。

「あの納屋をねえ、取り壊そうかと思うの」

応接間に通された多田と行天は、妙子の指すほうを見た。掃きだし窓の向こうに、こぢんまりとした庭があり、その大半を占める形でプレハブの納屋が建っていた。

「夫もそろそろ定年だし、一回いらないものを整理して、庭いじりするスペースを増やそうかってことになって。でも私たち、どっちも腰が悪くてねえ。なかに入ってるものを、運びだしてほしいのよ」

「拝見していいですか」

「ええ、もちろん」

三人は玄関から庭にまわった。途中で妙子が行天の手に目をとめ、

「あなた、怪我してるじゃない。消毒した？」

と聞いた。

「なめたから大丈夫。です」

多田ににらまれた行天は、「です」をぎこちなく語尾につけくわえた。いつもどおり愛想のかけらもない。

多田は、行天が「かなり狂犬って感じ」なのがばれて、警戒されるのではないかとはらはらしたが、妙子は、行天の怪我の形状から原因を推測することはできなかったようだ。

「そう?」

と言うだけで、それ以上の追及はなかった。

納屋には段ボール箱や使わなくなった古い電化製品が、天井近くまでびっしりと詰まっていた。いるものといらないものを確認しながら片づけるとしたら、それなりに時間がかかりそうだ。天気のいい日に数時間ずつ通うことにし、契約書にサインをもらった。出たゴミは、多田のほうで市のリサイクルセンターに持ちこんで処分するので、その実費も含めて、代金は後払いということになった。

段取りが決まったころには、早くもあたりに夕闇が迫っていた。「寒いなあ」と行天がジャンパーのチャックを首もとまで上げる。木村家を辞した多田と行天は、表に停めていた軽トラックのドアを開けようとした。

「あの」

と声をかけられたのは、そのときだった。そろって振り向くと、少し離れたところに二十代後半らしき男が立っていた。

「業者のかたですか」

と男は近づいてくる。

「便利屋です」

多田が答えると、男は「ああ、お世話さまです」と言った。帰宅してきた木村家の息子かなと見当をつけ、「こちらこそ、ご依頼ありがとうございます」と、多田は如才なく返事した。挨拶もしたし、そのまま家に入っていくだろうと思ったのに、なぜか男は動こうとしない。数メートルの距離を置いて、奇妙な膠着状態が生まれた。

行天がポケットから煙草を取りだし、火をつけてフーッと煙を吐いた。

「あんた、だれ？　木村サンとこのひとじゃないでしょ」

多田もびっくりしたが、男の動揺ぶりは気の毒なほどだった。「いや、あの」と口ごもり、じりじりと後ずさる。行天は素早く間合いを詰め、逃がさぬように男の腕をつかんだ。

「あの車、あんたのじゃないの？」

通りから入ってすぐのところに、パールブルーの丸っこい乗用車が停めてあった。「なんで木村サンのふりするわけ」

男はしばらく迷っていたようだが、

「あなたたちに依頼したい」

と急に顔を上げて言いきった。

「なにを」

軽トラックにもたれ、多田は男の挙動を観察する。男からは最前までの落ち着きのなさが薄れ、かわりに腹をすえたような静かな高揚をまといはじめていた。

「木村さん夫婦の様子を教えてほしいんです。どんなふうに暮らしてるのか、幸せなのか、息子さんとの関係はどうなのか……」

なにか理由があるのはわかったが、そんな要望に応じるわけにはいかない。

「うちは探偵じゃないんでね。ほかをあたってください」

多田はドアを開けて運転席に座り、エンジンをかけた。行天も男の腕を放し、方向転換した軽トラックに乗って、助手席のシートベルトを締める。

今日の仕事はこれで終わりだ。軽トラックはまほろ駅方面に向かって走りだす。

「ついてきてるよ」

バックミラーを覗き、行天が言った。多田も気づいていた。パールブルーの車体が、あいだに二台挟んだ後方に見え隠れしている。

「なんなんだろうなあ」

多田は嘆息した。妙な人間と遭遇する確率が高い気がするのは、便利屋という仕事柄なのか、行天の発する変人オーラのせいなのか。行天が来るまえはどうだっただろう、と記憶をたどったが、もう思い出せなかった。

事務所までついてこられても面倒だ。多田は駅前の市営駐車場に軽トラックを停め、つづいて入ってきた車から、男が降り立つのを待った。

「コーヒーの神殿　アポロン」は、その夜もにぎわいを見せていた。

まほろ大通りの雑居ビルの二階にある「アポロン」は、内装が変だ。

床は赤い絨毯。天井にはシャンデリア。フロアの中央には甲冑《かっちゅう》が鎮座し、店内のそこここに裸婦の彫刻や観葉植物が置いてある。そしてそれらすべてが、チープな質感の贋物《にせもの》だった。窓にはもちろん、ステンドグラスを模したシールが貼られている。

店の謳い文句は、「ゴシックなムードのなかで、ゆっくりとコーヒーの香りをお楽しみください」なのだが、あまりにも雑然とがらくたが詰めこまれているので、ゴシックなのかロココなのかジャングル風呂なのかわからない異空間と化していた。ついでに多田の感想としては、「アポロン」のコーヒーには香りがない。

それでも、好きなだけ長居できる「アポロン」は、煙草を吸いたい高校生や、営業成績をひととき忘れたいサラリーマンなど、たくさんの固定客に愛されている。多田と行天も、銭湯の帰りにたまに「アポロン」に寄る。「コーヒーの極北」を目指しているとしか思えない「アポロン」には、抗いがたい不思議な魅力があるのだ。

多田と行天と正体不明の男は、それぞれ一人掛けの回転ソファに腰かけ、丸テーブルを挟んで向かいあった。ソファは赤いビロード風味の布張りで、丸テーブルの天板は大理石模様のプラスチックでできていた。わかりやすい間違い探しみたいだと思いながら、多田は冷めたコーヒーをすすった。謎の男のほうはといえば、黙りこくって落ち着かない態度だ。金色のスプーンでコーヒーに深い渦潮を作ったり、突起物でもあるかのように椅子の座面から何度も尻を浮かせたりしている。

執事のような恰好をした中年の店員が、「失礼します」と礼儀正しくテーブルにやってきて、コップに水をつぎたしていった。

行天は暇そうに、乾いて甲にこびりついた血を爪ではがしている。多田がジャンパーの袖を引っ張ってそれをやめさせたところで、ようやく男が話を切りだした。

「あの、無理についてきてしまってすみません。ご迷惑だとは思うんですけど、俺としてはこのチャンスを逃したくないというか……」

一向に要領を得ないので、多田は男の言葉をさえぎった。

「本題をお願いします」

「はい。今度、結婚するんです」

多田は話のつづきを待った。男はあわてたようにつけくわえた。

「あ、俺、北村周一っていいます」

「便利屋の多田です。こっちは行天」

そこで会話は途切れてしまった。しかたなく多田は、

「おめでとうございます。それで？」

とうながした。

「はい、それで……。なにからどう言えばいいのか」

「帰っていい？」

と行天がささやいたので、

「黙ってろ」

と多田も小声で返した。

「それで、結婚っていう一大転機を迎えるまえに」

と北村は背筋をのばした。「生みの親のことを知っておきたくなったんです」

「結婚って一大転機かな。迎えようと思えば、何度でも迎えられるもんなのに」

と行天は言い、

「問題はそこじゃないだろ」

と多田は言った。「生みの親とは、どういう意味です。木村さん夫婦のことを指して言ってるんですか?」

「はい。たぶん」

北村は、かたわらに置いてあった黒い鞄を探った。戸籍謄本でも出てくるのかと思ったが、取りだしたのはマルボロメンソールだった。

「あ、一本ちょうだい」

という行天の目敏《めざと》い申し出に、北村は「どうぞ」と快く箱をテーブルに置く。

「俺、高校生のころに盲腸の手術をしたんですが、そのときに血液型はA型だと言われました。親も俺もびっくりです。それまでみんな、俺をO型だと思ってたから。どういうことだろうと悩みました。父はBで、母はOなんです。俺がAなのは変だ」

「母親が浮気したんでしょ」

もらい煙草をふかしながら、行天は失礼な発言をした。北村のなかでは何度も何度も検討したことだったのだろう。「母はそういうひとじゃない」と静かに笑った。

多田は自分の指先がわずかに震えていることに気づいた。

「ABO式だけでは、たしかとは言えないでしょう」

かろうじて出した声も、無様《ぶざま》にかすれたものだった。行天が怪訝そうに視線を投げかけてきたのがわかった。多田は水を飲んだ。

「ええ。両親と俺は、つまり、俺を育ててくれた両親と俺は、DNA鑑定をしてみることにしました。それではっきりしたんです。両親だと俺が信じていたひとたちは、生物学的には俺の親じゃなかった」

「病院で取り違えられた？」

行天が灰皿で煙草をもみ消した。

「そうとしか考えられません」

指近くにまでなった吸い差しを、北村も灰皿にのせる。煙はすぐに立ち消えた。

「真実がどうであっても、うちの両親と俺の関係は、なにも変わらなかった。かえって家族仲がよくなったぐらいです。だけど結婚が決まったら、生物学上の親のことが気になりはじめました。そのひとたちが育てた、俺と取り違えられた子のことも」

「木村さんだと、どうやって調べたんです」

と多田は尋ねた。

「市民病院の事務に、親しい友だちがいるんです。頼みこんで、こっそり。俺と同じ日に生まれた男の子は、一人だけでした。前後五日間に広げると、該当者はほかに十人弱いたけれど、俺は木村さんだと思いました。名字もちょっと似てるし」

多田は煙草をくわえ、潰れかけたラッキーストライクの箱を整えた。忙しさに取りまぎれていたため、この日はじめての煙草だった。つられたように、北村が二本目を吸いだす。行天もちゃっかり二回目のもらい煙草をした。

三人が吐く煙で、テーブルのまわりは白い靄《もや》に包まれる。

多田はこの件を聞かなかったことにしたかった。過去の痛みが足もとから這いのぼり、心臓をいまにも締めつけそうだ。

「憶測の域を出ませんね。便利屋の仕事じゃない」

そう言って席を立とうとしたのに、多田のつなぎの腰あたりを、行天がつかみとめる。

「あんたは木村サンの暮らしぶりを知って、それでどうすんの?」

多田の服をつかんだ手はそのままに、北村を正面から眺めて行天は尋ねた。

「どうもしません。ただ知りたいんです」

北村の声は、なぜ空は青いのと聞く子どもみたいに明朗だ。

「ふうん」

行天は空いているほうの掌を、北村に差しだした。「携帯の番号教えて。気が向いたら電話する」

ありがとうございますと何度も頭を下げる北村と、市営駐車場で別れた。多田は事務所に戻るまで無言を通したが、震えのような苛立ちが体じゅうに満ち、ドアを閉めたとたんついにあふれた。

「勝手なことをするな」

うなりに似た低音にしかならなかった。行天は壊れかけの灯油ストーブのまえにしゃがみ、指を焦がしながらライターで点火を試みていたが、「なに？」と戸口に立つ多田を見上げた。

「勝手なことをするなと言った」

「もしかしてさっきの、えーと、北村クンのこと？」

多田の怒りは唐突に臨界点を超えた。

「ほかにも思い当たるふしがあるのかおまえは！」

前触れなく怒鳴られてびっくりしたのか、行天はライターを取り落とし、バネ仕掛けの人形のように立ちあがった。

「いや、ないよ、もちろん。そういう意味で言ったんじゃない」

「どうだかな」

多田は行天の言うことになど耳を貸さなかった。「なんで安請け合いするんだ。どんな男かわからないのに」

「北村クンは嘘はついてないと思うけど」

「そうかもな。それで？　これはすごく微妙な問題だぞ。木村さんちは円満そうなご家庭ですよと教えたとして、次はどうなる。会って話したいと言いだしたら？　病院を訴える気になったら？　おまえはどうするつもりだ。北村さんも木村さんも家族がめちゃくちゃになるかもしれない。その全部に対応しきれんのか！」

「知ってしまったら、もうもとには戻れない」

その瞬間の行天の表情は、森に住む隠者めいて、感情からも欲望からも解き放たれているように見えた。「気がすむまで進むしかないでしょ」

「関係者全員が不幸になるかもしれなくてもか」

「不幸だけど満足ってことはあっても、後悔しながら幸福だということはないと思う。どこで踏みとどまるかは北村クンが決めることだ」

「おまえは強くて立派だよ」

と多田は言った。行天は揺らがなかった。

「どうしたんだ、多田。なんか変だね」

「おまえの変菌《へんきん》が移ったんだろ。勝手にしろ」

「するなって言ったりしろって言ったり、どっちなの」

困惑したらしい行天に背を向け、多田は居住スペースに入って仕切りのカーテンを閉めた。変菌ってなんだ、ガキか俺は。怒りが怒りを呼び、ベッドサイドのゴミ箱を思いきり蹴飛ばす。

ゴミ箱は流しに当たって耳障りな金属音を立てた。中身が床に散らばり、床にカップラーメンの汁が広がった。食べ終わった容器をそのままレジ袋に入れ、行天がゴミ箱につっこんだのだろう。汁は流しに捨てろといつも言ってるのに。

「ふざけんな！」

多田は雄叫《おたけ》びを上げた。行天がカーテン越しにこちらをうかがっているのがわかる。多田は憤然とベッドに横たわり、布団をかぶって目を閉じた。

夜中に行天がそっと床を拭いている気配がしたが、多田は寝たふりをつづけた。

木村家の納屋の片づけは、順調に進んでいた。

ほかの依頼も立てこんでいるので、木村家にいられるのは午前中の二時間だけだ。それでも、好天に恵まれて三日間通ったおかげで、納屋のなかはずいぶんすっきりした。週末までにはなんとかすべての荷物を運びだせそうだ。

薄く透きとおった冬の空。多田と行天は軍手をはめ、白い息を吐きながら作業した。木村妙子は庭に脚を下ろして掃きだし窓に腰かけ、多田と行天が運びだす品を要不要に振りわけた。

電化製品はリサイクルゴミにするため、軽トラックの荷台に積みこまれる。段ボールはひとつひとつ妙子が開けて、なかを確認する。ほとんどが着なくなった衣類や古いビジネス書などだったが、アルバムや子どもの卒業文集やぬいぐるみなどが入った箱もあった。

そういう箱はぴっちりと封をされ、中身も丁寧にビニール袋や新聞でくるんであった。妙子は宝箱を見つけた海賊みたいに歓声を上げ、なつかしいわねえとアルバムをめくるのだった。

作業が一段落すると、三人は応接間で昼ご飯を食べた。遠慮する多田をよそに、妙子はいつも多田と行天のぶんの弁当を作ってくれていた。

「いいのいいの。どうせ夫のお弁当を作るついでだから。子どもたちが独立するまえは、私もパートに出てたし、毎朝家族全員のお弁当を作ってたのよ」

彩りよくタッパーに詰められたおかずは、どれも簡単なものだがおいしかった。

行天と妙子は弁当を食べながら、その日に納屋から発掘された写真を戦利品のように眺める。日常のスナップから、写真館の台紙に挟まっているものまで。木村家の家族の記憶を凝縮した写真だ。

その気になった行天に、困難はない。なんの疑問も警戒も抱かせずに相手の懐にもぐりこむという、思いがけない才能を発揮してみせた。なにしろ見た目だけはいい男だ。「あ、その動物園、俺もガキのころ行った。見せて」などと言ってちょっと微笑めば、抗える女性はほとんど皆無だろう。

いまも行天は、適度な距離をおいて妙子の隣に座り、家族の一員のような顔をして一緒にアルバムを覗きこんでいる。多田は黙々と弁当を咀嚼した。

三日のあいだに、木村家には娘と息子が一人ずついるのがわかった。どちらも社会人で、妙子によると、「めったに家に寄りつきゃしないのよ」ということだ。

妙子は、今年の正月に撮った新しい写真を見せてくれた。妙子も夫も娘も、どちらかというとすらりとしているのに、木村家の息子だけがずんぐりした体つきだった。ひとのよさそうな顔で、リラックスしてカメラのほうを見ている。

息子の高校時代の写真を見て、「すっげえ」と行天は肩を震わせた。息子は髪を真っ茶色にし、制服のズボンを極限までずりさげて穿いていた。やや小太りなので、まったく似合っていない。

「おかしいわよねえ」

妙子も愉快そうだ。「この子、中学に上がったころから急にぐれだして。いろいろ大変だった」

あなたはどうだった？　と妙子は行天に聞いた。

「俺はべつに」

と行天は写真から目を離さずに言う。「ぐれるだけの気力もなかったし」

「じゃあ親御さんも安心だったでしょうね」

妙子に邪気はかけらもない。行天もおとなしくうなずく。内出血し赤黒く腫れた拳の怪我。

行天は、自分こそが、長い放浪から帰還した妙子の息子であるかのようにふるまった。その行為が行天のどういう部分から発したものなのか、演技なのか真情なのか、多田にはよくわからなかった。

事務所に帰っても、多田は行天とほとんど口をきかなかった。だが行天は気にするふうでもなく、さかんに話しかけ、多田に相手にされなくても一人でしゃべる。そして寝るまえには必ず、

「明日も晴れるかな。晴れるといいよね」と言うのだった。

ある日、行天が持ち手のついた紙袋を、納屋から庭へ引っ張りだした。二十冊ほどのノートが、無造作に入れられていた。妙子は袋を覗き、

「ああ、家計簿よ」

と言った。「かさばってしょうがないから、古いものは納屋に入れておいたの」

「捨てていい？」

「そうね、この機会に」

妙子があっさりとうなずいたことに、多田は少し違和感を覚えた。家計簿を捨てるというのは、日記を捨てるのと同じぐらい、ふんぎりが必要なことではないか？　引っ越しを重ねるうちに紛失することはあっても、現物をまえに捨てるか捨てないか考えたら、たいがいのひとは、「まあ、とりあえず取っておこう」と結論づけるものではないか？

行天はもちろん、そういう機微に思いを馳せることなどしない。「そんじゃ」と言って、妙子のまえで紙袋からノートの束を取りだし、紐でぐいぐい縛りあげる。ノートの表紙は、湿気を吸ってたわんでいた。

ゴミと化した家計簿をぶらさげ、行天は表に停めてある軽トラックのほうへ歩いていった。

「多田さん、そっちの箱を見せてくれる？」と妙子に声をかけられる。いつもどおりの、翳《かげ》りのない表情だ。気をまわしすぎたか、と多田は思い、「はい」と答えて作業に意識を集中させた。

夜半に多田は、事務所のドアが開閉した音を聞いた気がして、目を覚ました。

カーテンをめくる。ソファに行天の姿はなかった。コンビニにでも行ったのだろう。寝直そうとしたが、一度中断した眠りはなかなか近づいてこなかった。

ベッドから腕だけのばし、サイドテーブルに置いた煙草の箱を探る。からだった。多田はうなった。ないとわかると、なおさら吸いたくなる。寒さとニコチンとを秤《はかり》にかけ、しばらくぐずぐずしたのちに、身を起こした。

寝間着がわりのスウェットのうえに、ジャンパーを羽織る。コンビニはビルの並びにある。さっさと行って買ってこよう。多田はジャンパーのポケットに手をつっこんだ。

ポケットに入れておいたはずの、車のキーがなくなっていた。

行天か。いつのまに。多田は事務所から飛びだした。愛車の危機だ。煙草のことなど忘れ、駐車場に直行する。

軽トラックは常夜灯に照らされ、いつもの場所に停まっていた。勝手に乗りまわされなかったことに安堵し、しかし多田は念のため、軽トラックの運転台を覗いた。

マルボロメンソールをくわえた行天が、助手席で熱心になにかを読んでいた。多田が助手席の窓を叩くと、行天は口から煙草を落とし、あわてて拾ってまたくわえた。多田がにらみつけると、行天は諦めたのか、おとなしくドアのロックを解除した。

多田は運転席のドアを開けた。煙草の煙とともに、わずかなカビのにおいがあふれでる。運転席には、縛って荷台に積んだはずの古い家計簿が置いてあった。

「なにをしてる」

多田は家計簿を膝にのせ、運転席に座った。ドアを閉める。エンジンをかけていない車内は、外と同じぐらい寒かった。

「木村サンもさ、息子が自分の子じゃないんじゃないかって、気づいてるみたいだ」

ほら、と行天は読んでいた家計簿のページを示した。妙子はきっちりと、毎日の収支を記録していた。細かい項目を埋める数字の羅列。欄外の備考には、目を通した本や雑誌を書く習慣らしい。行天が指した欄には、「よくわかる遺伝の仕組み」「血液型の秘密」と書いてあった。

「これがどうした」

多田はこめかみに痛みを覚えた。怒りのせいなのか、ないがしろにされた眠気のせいなのか、区別がつかなかった。ダッシュボードに置いてあった行天の煙草を、断りなく取って吸う。

「血液型占いに凝ってたんじゃないか」

「ちがうと思う」

と行天は言った。「ほかの年は、料理雑誌や海外ミステリーばっかりなのに、この年だけ、たまにこういう本がある。木村サンの息子が、グレだしたころだ」

こいつを黙らせるには、どうしたらいいんだ。多田はいらいらと灰皿を引きだした。行天はページが変色した家計簿を閉じた。

「たぶん木村サンちは、親に似ていない息子のことで、揉めたことがあったんだ」

「だからどうしたって言うんだ！」

怒鳴るつもりはなかったが、声はかなりの音量で耳に響いた。手もとが狂い、煙草の灰が床に散る。

「どこの家にだって、多少の揉めごとはある。おまえはなにをしたいんだ？　木村さんは、もう必要ないからそれを捨てるんだ。いまさら過去の記録をこそこそ嗅《か》ぎまわって、どうするつもりだ」

「この家計簿を、北村周一に見せたい」

多田の興奮に引きずられることなく、行天は冷たいほど明確に答えた。

「だめだ。意味がない」

「そうかな」

行天は目を伏せ、ドアに肩を預けた。「自分と同じ苦しみを体験したひとがいる。それを知ることは、救いにはならないかな」

「おまえはなにもなくしたことがないだろう。なにも持っていないからだ」

言いながら早くも多田は後悔した。こんなことを言ってどうなる。やつあたりだ。すぐに口を閉ざさなければならないと、理性ではわかっているのに、止まらなかった。残酷に、だれでもいいから痛めつけたかった。

「だが持っていないふりをして、本当はおまえは全部持ってる。おまえを大切に思う人間も、おまえと血がつながっていることが明白な子どもも。そういうものを、失ったり傷ついたりしない距離に置いて、なにも持たないつもりでいるおまえは傲慢で無神経だ」

傲慢で無神経なのはどっちだ。多田は吸いさしを灰皿に放りこんだ。行天は動揺も傷心もうかがえない表情のまま、しばらく黙っていた。

やがて行天は身を起こし、家計簿を多田に渡した。

「そうかもしれないね。あんたの言うとおりだ」

助手席のドアを開け、行天は駐車場に降り立った。「でも俺は知りたい」

深夜だというのに、空気を激しく振動させてドアが閉まった。行天は足早に駐車場を横切り、事務所のあるビルに入っていった。

車内に残った多田は、「なにをだよ」とつぶやく。家計簿をまとめ、元通りに縛り直して、荷台に積む。それからコンビニに行き、ラッキーストライクとマルボロメンソールを二箱ずつ買った。事務所のソファでは行天が、めずらしく横向きになって寝ていた。ソファの背のほうに顔を向けている。多田はローテーブルにマルボロメンソールをそっと置き、カーテンをめくってベッドに入った。

わかっていた。たぶん、行天が知りたいと思っているものは、多田が願ってきたものと似た形をしているのだ。

翌朝、行天はさっそく煙草をふかしており、カーテンを開けた多田を見て、「おはよう」と言った。

マルボロ二箱で機嫌が直る男。もっと言ってやればよかったと、多田は寝不足で鈍く痛む頭を叩きながら思った。

納屋の片づけが進むにつれ、写真のなかの時間はどんどん遡っていく。家族四人がそろった何枚もの写真のなかで、父親にも母親にも似ていない息子が笑っている。

行天はなに食わぬ顔で、妙子の思い出話に「ふうん」と相槌を打ちながら写真を見るが、多田は苦しくてたまらなかった。苦しみは、行天が「あ、これ」とアルバムのなかの一枚の写真を指したときに、頂点に達した。

まだ若い父親が、幼い息子を膝に抱いている。妙子の夫も赤ん坊も笑顔だ。

似ている、と多田は思った。

妙子の夫の若いころの面差しと、北村周一はとてもよく似ていた。

「似てるね」

と行天がつぶやいた。なにを言うつもりだと、多田は飲み下したばかりの弁当の飯粒が、胃のなかで砂鉄に変わる思いがした。

妙子が一拍おいて、「似てない親子だってよく言われるのよ」と早口に言った。

「似てるよ」

行天はアルバムのフィルム越しに、写真のなかの父子を指先でそっとなぞった。「優しそうな感じがすごく」

「……そう？」

「うん」

妙子と行天がまたべつのアルバムをめくりはじめるのを、多田はじっと見ていた。

その晩、多田は行天に「おーいおーい」と肩を揺さぶられて目を覚ました。寝過ごしたのかとベッドに身を起こし、あたりを見まわして、まだ夜のなかにいることに気づく。

行天は無害な妖怪のように、ベッドサイドにひっそりとしゃがんでいる。

多田が「なんだ」と不機嫌に問うと、

「すごくうなされてたから。瀕死のグリズリーが産気づいたみたいに」

と行天は言った。

多田はこれまでにも何度か、悪夢を見て夜中に飛び起きたことがあったが、行天がうなされる多田を起こしたのははじめてだった。

「そりゃ悪かった。もう平気だ」

と追い払うように手を振っても、行天は動かない。目だけを上げて、

「このごろのあんたは、なにかに怯えてるみたいに見えるね」

と言った。

行天に心配されている。

多田は笑いたかったが、吐いた息は音にもならずに宙に消えた。

こういうやつなんだよな、と多田は思った。勝手なことばかりして、他人も自分もどうでもいいようなそぶりを見せるくせに、本当はだれよりもやわらかく強い輝きを、胸の奥底に秘めている。行天と接した人間は、みんなそのことを知っているのに、本人だけが気づいていない。

行天と暮らした一年近くのあいだ、多田は楽しかった。血圧が乱高下し、抜け毛が増え、不整脈が頻発する日々だったが、楽しかったのだ。だから錯覚した。

自分は変わったのではないか、忘れることができるのではないか、と。

北村周一が現れて、多田は現実に引き戻された。

結局いつも、俺は同じ場所にいる。

多田は布団を脇によけ、ベッドに腰かけた。行天は同じ姿勢のまま、なにかをじっと待っている。

知ってしまったら、進むしかない。

急にすべてをぶちまけたくなった。だれにも言えなかったこと、言いたくなかったことを、行

天に知らしめたくなった。

だが口を開いても、なにも言葉は出なかった。それは鳴き声すら持たぬ岩のように冷えて、心のなかにあるばかりだった。

「借金取りに追われる夢を見た」

と多田は言い、横になって布団をかぶった。

「借金はないんじゃなかったの」

行天はしばらくベッドの脇にいたが、多田が返事をせずにいると、「おやすみ」と言って、ソファに戻っていった。


クリスマスイブに、納屋はすっかりきれいになった。軽トラックにはリサイクルゴミが満載だ。土曜日だったので、妙子の夫も家にいた。妙子の夫はからになった納屋を見て、「片づくもんだなあ」とひとしきり感心し、「雑煮に入れて食べてください」と、郷里から届いたという餅をくれた。いまは庭で、植木鉢を熱心に並べかえている。

「じゃあ、処分にかかる費用がはっきりしたら、請求書を送ります。仕事料とあわせて振り込みしてください」

「ほんとに助かったわ。またなにかあったらお願いね」

門口に立った妙子が微笑む。

「はい、いつでも。ありがとうございました」

キーをまわすと、軽トラックは重そうに車体を揺らした。妙子にペこりと頭を下げ、行天も軽トラックに乗りこむ。

悪夢のような家の並ぶ通りへ出るところで、角を曲がって入ってこようとした車と鉢合わせした。パールブルーの北村の車だった。

「げっ」

と行天が助手席でうめく。多田はバックミラーで、妙子が家のなかに入ったことを確認し、軽くクラクションを鳴らして北村に合図した。

軽トラックが通りに出て路肩に停まると、北村の車は曲がるのをやめ、すぐ後ろに素直に停車した。

「なにやってんの、あんた」

歩道に立った行天が、同じく車から降りた北村に注意した。「うろちょろして、それじゃストーカーと紙一重だよ」

「すみません、やっぱり気になっちゃって」

北村は照れ笑いした。「今日は彼女とデートなんですけど、そのまえにちょっと木村さんちのまわりを走ってみようかなあ、なんて」

「デートしようが遭難しようがどうでもいいっての」

と行天は言い、

「そういうのをストーキングっていうんだ」

と多田は言った。

北村は「すみません」ともう一度謝り、軽トラックの荷台に目をやった。

「あの、お仕事は終わりました？　どんな感じでした、木村さんは」

行天がなにか言いかけたのを制し、

「まだ終わってないし、あなたに教える義理もない」

と多田は言った。「いいですか、北村さん。便利屋は信用商売だ。いろんな家で仕事して、たしかに家庭内の事情もある程度は見えてしまう。だからこそ、そこで知った情報を他人に漏らすのは、絶対にしちゃいけないことなんです」

「だけど、行天さんは教えてくれると……」

北村はすがるように行天を見た。

「こいつが安請け合いしたことは謝ります」

多田は北村の言葉を一蹴した。「見習いなんでね」

「免許皆伝じゃなかったっけ」

と行天がむくれる。

「わかりました。でも」

北村は悔しそうにうつむいた。「他人じゃありません。俺と木村さんちのひとたちとは……」

「他人ですよ」

多田は強引にさえぎった。「血液型によって血の色にちがいでもあるんですか。ＤＮＡが目で見えるんですか。そんなものにこだわるより、もっとたしかなのは、あなたをかわいがって育てたひとがいるってことだ。それではいけませんか」

多田が言うまでもないことだ。目の前で唇を嚙みしめている男は、きっとだれよりも血と心の狭間で揺れ動いてきた。

北村はしばらく黙っていたが、失礼します、と身をひるがえし、パールブルーの車に乗って去っていった。

「さて。時間が押したな」

多田はさっさと車道に出て、運転席のドアを開ける。

「いつものおせっかいぶりはどうしちゃったわけ」

行天のつぶやきを、乱暴に閉めたドアではたき落とした。

リサイクルセンターは、まほろ市の北東部にある。山を切り崩して作った広大な敷地だ。高温で溶かされるのを待つビンの山。プレスされ、ブロック状になって積みあげられた缶の壁。あてどなく再生を待つ家電製品は、野ざらしのまま森のように、じわじわとコンクリートの地面のうえを侵食していく。屋根に覆われた深い深い穴では、衣類と紙類がそれぞれ地層をなしている。

リサイクルセンターのゲートには秤が埋めこまれていて、利用者は車ごと計量される。センターから出るときの重量との差で、捨てたゴミに見合う料金を払う仕組みだ。

多田と行天はセンター内を軽トラックでまわり、荷台に積んだ木村家のゴミを、指定の区画に捨てていった。

軍手をはめ、錆びたオーブントースターや埃をかぶった電熱器を、黙々と荷台から運び下ろす。自分の行き着く先をとうに知っていたかのように、それらは静かに穏やかに、多田の手に身をまかせるのだ。

最後に紙類が残った。荷造り紐で束ねた百科事典や実用書を、穴に投げ落とす。穴の手前にばかり積み重なってはいけないから、大きく腕を振って奥のほうへ放らなければならない。

腕が一番のびた瞬間に、もう片方の手に持ったカッターで荷造り紐を切る。分別は徹底していた。雨に似た音を立てて本だけが暗い穴に降りそそぎ、手には荷造り紐が残る。多田にとっては慣れた行為だったが、行天ははじめてボーリングをするひとみたいに、へっぴり腰になっていた。紐を切るのが早すぎて本を足もとにぶちまけたり、遅すぎて体ごと穴に落ちそうになったりしている。

散らばった本を集め、一冊一冊、穴に投げ捨てていた行天が、

「げっ」

と言って動作を止めた。中年の男が、林立する家電の陰から現れ、本の墓穴の向こうを横切っていくところだった。男もひとの気配を感じ取ったのか、なにげなくこちらを見た。

まほろ署の早坂だった。

行天はさっさと作業を再開したが、多田は凝視に負けて、早坂に会釈した。早坂は穴の縁をたどって、多田と行天のほうへ近づいてきた。多田は内心で「げっ」とうめいた。

「いつも熱心ですねえ、多田さん」

早坂は地面に置かれた本の束を眺め、穴を覗きこんだ。

「早坂さんも。お仕事ですか？」

「午後から出社ですよ」

証拠隠滅の現場に行き当たった、とばかりに、地面と穴を何往復もしていた早坂の視線が、ようやく多田に固定された。「ここを散歩するのが好きでね。たまに来るんです」

探るようにひとやものを見るのは、職業柄というよりは、早坂の案外好奇心が強い性格のためらしかった。いまも、「うわ、けっこう深いですね。十メートルはありそうだ」などと言いながら、穴の縁から身を乗りだしている。行天が後ろから押そうとするのをとどめ、多田は残りの本の始末を手早くつけた。

「それじゃ、これで」

と多田が立ち去ろうとすると、

「まあまあ、待ってよ多田さん」

と早坂が呼び止めてきた。「山下ムネユキの捜索願を、彼の母親が出しました」

「だれですか、それ」

多田は軍手をはずし、つなぎのポケットにつっこみながら、早坂に向き直る。行天は手持ちぶさたそうに、しゃがんで煙草を吸いだした。

「おや、ご存じない。私は彼の失踪に、あなたがたもなんらかの形で関係したのではないか、と考えているのですが」

「それはまたどうして」

顔色が変わっていなければいいが、と思いつつ、多田は早坂の視線がそらされるのを待った。

「特に根拠はありませんよ」

と、早坂は笑った。

「俺たちをつけてきたの、オマワリサン」

つまんだ煙草を、行天が地面でねじ消す。

「偶然です。言ったでしょう。ここが好きなんですよ」

早坂は家電の森を見やった。「捨てられたモノのなかを歩くのが」

敷地内はひどく静かだ。記憶の墓場なのだから、それも当たり前かと多田は思い、クリスマスイブにここを一人歩く刑事には、いったいどんな生活があるのだろうと想像した。

早坂も同じようなことを考えたらしい。

「多田さん、ご家族は」

と尋ねてきた。

「職務質問ですか？」

「いいえ。単に興味があるんです」

「告白？」

行天の言葉を、多田も早坂も無視した。

「以前は、妻と」

多田は言いかけ、口を閉ざした。ふいに落ちた短い沈黙に、立ちあがった行天が怪訝そうにしたのがわかった。

「妻がいました。別れましたけどね」

早坂はうなずき、腕時計を見た。

「星のグループとは、もうかかわらないことです。さもないと、山下の死体が出てきたときに、あなたがたを取り調べなきゃならなくなる」

駐車場のほうへ歩いていく早坂を、多田は黙って見送った。

電飾が駅前のビルと通りを埋めつくしていたが、多田はふだんと変わらず、洗面器を片手に銭湯へ行った。

脱衣所でジーンズを脱ごうとして、尻ポケットから携帯電話がなくなっていることに気づく。またか、手癖の悪い。

すぐに事務所に取って返し、行天を絞めあげようかと思ったが、風呂代を払ったあとだったし、途中の道で落としたとも、置き忘れて出てきてしまっただけとも考えられるので、ひとまず多田は体を洗うことに専念した。

広々とした湯船に浸かり、やはり行天がすり盗ったのだと結論づける。落としたのなら音がするはずだし、仕事を終えて事務所に戻ってから、自分の意志でどこかに携帯を置いた覚えはない。

だれかにかけたいのなら、事務所にも電話は引いてあるし、コンビニのまえに公衆電話がある。行天はたぶん、多田の携帯に登録されている番号を知りたかったのだ。

多田は湯のなかで腕を組む。行天がなにを考えているか、だいたい読めた。あとは尻尾をつかめるかどうかだ。

多田が銭湯から帰ると、行天は暇そうにソファに寝っころがっていた。

「おう、俺の携帯、知らないか」

「知らない」

まばたきもせずに、行天は答える。多田は、「そうか。どっかに落としたかな」と言いながら、自分のベッドを見た。朝起きたときのまま丸まっている布団のうえに、携帯電話が放置されていた。「お、あったあった」と、わざとらしくひとりごとを言い、多田はさりげなく着信と発信の履歴を確認した。なにも変化はない。

しかし多田は油断しなかった。カーテンを引き、眠ったふりをつづけること一時間。そろそろ日付が変わるころに、行天に動きがあった。ソファの周辺で、なにやらごそごそしている。ローテーブルに体のどこかをぶつけた音がし、「いて」と小さな声があがった。直後に、こちらをうかがう気配がする。多田は規則正しい呼吸を心がけた。

行天は安心したのかまた動きだし、静かに事務所から出ていった。

すかさず窓に寄り、表の道を見下ろす。ビルを出た行天が、ハコキューの駅とは反対方向へ歩いていく。多田もすぐに事務所を出て、尾行を開始した。

カップルはベッドにもぐりこみ、子どもたちは夢のなかでサンタクロースを待つ時間だ。通りにはほとんど人影がない。足音を殺して道を行く多田の頭上で、光を失った電飾が、茨《いばら》のようにあちこちに巻きついている。

行天のあとをつけるのは簡単だった。振り返ったり、急に歩調を変えたりということが、まったくなかったからだ。あたりにひとがいてもいなくても、行天は飄々と自分のペースで歩く。それは、傲慢や無神経のせいではなく、自分に注意を払う人間などだれもいない、という確信からくる態度のように見えた。

行天はいつも一人だ。

多田は物陰に身を隠すこともせず、一定の距離をおいて、行天の背中を追った。夜目にも鮮やかな龍のジャンパーは、見失いようがなかった。

まほろ大通りの端まで来て、行天は小さな角を折れた。大通りと、並行して走る裏道とをつなぐ、仲通り商店街だ。ひとがすれ違うのも困難な狭い路地だが、ちゃんとアーケードになっている。両側にはバラックがぎっしりと建ち、衣料品店やラーメン屋、喫茶店から金物屋まで、さまざまな商店が三十軒ほど並んでいた。

仲通りは、終戦直後にできた闇市がそのまま定着し、建物の補修や増築を重ねて、いまの形になったと言われている。まほろ市民にとっては、一番なじみのある商店街だ。

多田も子どものころに、よく駄菓子を買いにきた。だが、夜に仲通りを訪れるのははじめてだった。

路地に面した店は、すべてシャッターを下ろしている。煤けたアーケードからは、月も星も見えない。クリスマスを意識したらしい金と銀のモールが、アーケードを支える骨組みに這い、吹き抜ける冷たい風に揺れていた。

行天は路地の真ん中あたりで立ち止まり、ふいと細い脇道に入った。

仲通りの路地から、短い脇道がいくつか派生しているのを、多田も知っていた。密集するバラックが作る、わずかな隙間だ。小さな中庭のような空間になっていたり、買い物客用の古ぼけた公衆便所が設置されていたり、土間にカウンターしかない立ち飲み屋があったりする。しかしよほどの常連客でないかぎり、仲通り商店街の、さらに脇道に入ってみようとは思わないはずだ。冒険心をかきたてられることもたしかだが、脇道からは危険の香りも常に漂っているからだ。昼でも薄暗く、路地からちょっと覗くと、人相風体のあやしい男たちが、セカンドバッグから出した小さな薬包をやりとりしているのを、簡単に目撃することができる。

しかもいまは、深夜だ。多田はためらったが、ここまで来たらしかたがない。行天につづき、脇道に足を踏み入れた。

そこはすぐに、行き止まりになっていた。三方をバラックに囲まれた露天のスペースで、地面はむきだしの土だ。真ん中には、水たまりと見まがうほど小さくて浅い人工の池があった。池だろうとわかったのは、金魚鉢に設置するような竜宮城のミニチュアが、なんの変哲もない石のうえに飾ってあったからだ。

つきあたりのバラックに、赤提灯のさがった焼鳥屋の引き戸がある。三歩で横切れるほどの池のある空間は、どうやら焼鳥屋の庭らしい。

「おいおいおい」

多田は再びためらったが、行天はあの焼鳥屋に入ったとしか思えない。しみったれた池の脇を通り、多田はこっそりと焼鳥屋のまえに立った。

赤提灯には、「焼き鳥　鳥増」と達筆で書いてある。引き戸は木製の格子戸で、磨《す》りガラスがはまっている。ただ、取っ手に近い格子一枚ぶんだけは透明で、空席があるかどうか、なかの様子がわかるようになっていた。

多田はバラックの壁に貼りつき、首だけ少し動かして店内を確認した。

カウンターのなかでは、痩せた白髪の老人が、缶に入った濃厚そうなタレをかきまぜていた。店には格子戸のぶんしか幅がなく、奥行きもカウンターに五つ丸椅子を並べるだけで精一杯のようだ。脚が黒い鉄製で、座面に緑のビニールを張った椅子。

戸口から二つ目の椅子に、行天が座っていた。その奥の椅子にいるのは、星だった。

多田は急いで首を引っこめ、背中をバラックの壁に密着させたまま、あたりを見まわす。星の取り巻きはどこにもいない。行天の呼びだしに、どうやら星は一人で応じたようだった。

「ホッピーだけじゃなく、串も頼め。ここのはうまい」

と星の声がし、

「じゃ、皮」

と行天が答えた。特に大声でしゃべっているわけではないのに、薄い壁を通して会話がはっきりと聞き取れる。

「ほかには」

「皮」

「……皮が好きなのか」

「うん」

「オヤジ、こいつに皮五本。俺には適当に出して。全部塩で。それから枝豆」

「はいよ」

しばらく会話は途切れた。耐えきれずに多田が再び覗いてみると、行天がホッピーを勢いよく飲み干し、老人がおかわりと、焼きあがった串をカウンターにのせたところだった。行天はうれしそうに皮を食べ、新しいホッピーのジョッキを傾けている。

「うまいか？」

星はホッピーをいやそうに眺めた。

「うん。アルコールの味がする」

「おまえそれ、相当だな」

星は唇の端を上げた。星自身は、手酌で瓶ビールを飲んでいるようだが、ピッチはそれほど速くない。もしかしてあいつ、煙草だけじゃなく酒も苦手なのかな、と多田は思った。やることはえげつないくせに、肉体だけは健全らしい。

「で、用ってなんだ」

と、ようやく星が切りだした。多田は壁に耳を押し当てる。

「清海チャンは？　クリスマスなのにデートしないの」

「うるせえな、おっさん！」

「あ、ふられたんだ」

「そんなわけねえだろ。あいつは一度寝ると朝まで起きな……それはいい。いいから用件を早く言え」

「山下の捜索願が出されたって」

「知ってる。それが？」

「死体は絶対に見つからないと言いきれる？」

多田はぎょっとして、店内をうかがった。老人は淡々と串をひっくり返し、星の横顔はにやついていた。行天は星のほうを向いていたので、表情が見えなかった。

「なんの話だかよくわからない」

と星は言った。

「もし見つかったら、俺がやったことにしていいよ」

と行天は言った。「どこでどう殺したかとか、どうやって死体を捨てたかとか、教えてくれればそのとおりにしゃべる。どうせ、証拠が残るようなことはしてないんでしょ？　だったら、俺がやってないって証拠もないってことだ」

「証拠がないんだったら、たとえ死体が出たとしても、俺やおまえが名乗りを挙げる必要はないだろ」

「まほろ署のオマワリサンは、あんたたちを疑ってる。いらない探りを入れられるまえに、真犯人が自首したほうが、あんたたちにとって得でしょ」

なにを言いだすんだおまえは。多田ははらはらし、焼鳥屋に踏みこみそうになるのを、やっとのことでこらえた。行天の真意を知るまでは、迂闊に動くことはできない。

星は「ふうん」と首をかしげた。

「だけどおまえ、山下に刺されてぶっ倒れてたよな。いつ、あいつを殺す暇があったんだ」

「べつに、山下に刺されたと言わなきゃいいじゃない。女がらみのいざこざがあって、山下を殺して死体を隠した。そのあとに、俺の腹にナイフが刺さった。転んで刺さったんでも、通り魔が刺したんでも、なんでもいい」

「そううまくごまかせるかな」

星はおもしろそうに、カウンターに肘をついた。「ところで、飼い主への恩義のために、罪をかぶるつもりなのか？　便利屋は俺やおまえにかかわったせいで、いろいろひどい目に遭ってるもんな」

「ちがうよ」

行天は首を振った。「これは多田とは関係ない話だ。俺はあんたと取り引きしたい」

ジョッキを置いた行天は、ジャンパーのまえを開け、シャツをめくって腹から一冊のノートを取りだした。多田は目を疑った。妙子の家計簿だ。あいつ、いつのまに。俺が早坂に気を取られている隙に、束から抜いたのか。本当に手癖の悪い。

「このノートを、北村周一ってひとにこっそり渡してほしい」

「なんで」

「理由は言えないけど、絶対にあんたに迷惑はかからない」

「なぜ俺に頼む」

「多田は反対してるから。このノートのことも、もうゴミになったと思ってる」

「住所は」

「携帯の番号しかわかんないけど、あんたなら調べられるでしょ」

行天は北村周一の書いたメモを、家計簿と一緒に星に渡そうとした。多田は磨りガラスが落ちる勢いで引き戸を開け、店内に乱入した。

「あほか、おまえは！」

行天の後頭部をひっぱたく。「どこの世界に、そんな安い代価で殺人犯になるやつがいる！」

行天は多田を振り仰ぎ、「あれ、よくここがわかったね」と言い、星は「オヤジ、残りは包んで」と言い、老人はあいかわらず淡々と串をまわしながら、「はいよ」と言った。

「いい暇つぶしになった」

星は包みを受け取り、椅子から立った。行天をにらみ下ろす多田の脇をすり抜け、そのまま戸口から出ていこうとする。

「ちょっと星さん。会計は」

「おまえが払うのが筋だろ、便利屋」

星は行天を振り返り、また唇の端を上げた。「この取り引きは最初から成立しない。山下の死体なんて、絶対に見つからないからだ」

山下をまほろから放逐しただけで、殺してなどいない、という意味にも、完全犯罪への自信とも取れる言葉だった。

「安心して飼われとけよ」

じゃあなと言って、星は悠々と仲通りに消えた。多田は、「お騒がせしました」と老人に代金を払い、カウンターに残された家計簿を持った。

「行くぞ、行天」

行天は土間に落ちたメモを拾い、皮の刺さった串を持ってついてきた。

「食べる？」

と、二本のうちの一本を多田のまえにかざす。多田は受け取り、腹立ちのままに皮を咀嚼した。ほどよく脂がのって、冷めていてもおいしかった。

裏道に出て、事務所のあるビルを目指す。

「俺はたまに、おまえがこわくなる」

串を路上の吸い殻入れに差し、多田はため息をついた。「どうしてそんなに、全部が簡単なんだ」

「本気で殺人犯になるつもりはなかったよ」

行天は串で歯間掃除をはじめた。「死体が見つかるようなヘマはしてないって、わかってたし。こっちの要求を通すために、覚悟を見せただけ。ああいうチンピラって、覚悟が好きでしょ」

星はすでに、「チンピラ」と形容していい部類ではないと思ったが、多田はそれについては指摘しないでおいた。

「なぜ、そこまでして北村に家計簿を見せたがる」

「言ったでしょ。俺は知りたいんだ」

「なにを」

「子どもが親を選び直すことができるのかどうかを。できるとしたら、なにを基準にするのか」

多田は行天を見た。行天は串をくわえたまま、まっすぐにまえを向いて歩いていた。余分なものを削ぎ落とした頰には、感情の痕跡がなにもない。

行天、おまえは知らないだろう。俺がずっと黙っていたから。

親に痛めつけられたかつての子ども。その隣にいるのは……。

「俺には子どもがいた」

気がついたときには、言葉がこぼれていた。「生まれてすぐに死んだけどな」

生まれたての赤ん坊がいる部屋の、ほのかに甘くあたたかい空気のにおいを、いまも覚えている。思い出そうとする手順もいらないほど、忘れられずにいる。

行天はコンビニのゴミ箱に串をつっこみ、

「喉渇いたなあ」

と言って、事務所のビルの階段を上がっていった。「酒、まだあったよね」

「別れた妻とは、大学のときに会った。卒業してすぐ結婚したんだ。彼女はまだ早いと言ったが、俺は一緒にいたかった」

多田は家計簿をかたわらに投げだし、窓を背にしてソファに座っていた。表の道に車が通るたび、向かいに座った行天の顔を影がよぎっていく。

「彼女は在学中から、司法試験合格を目指して勉強していた。俺はとっとと会社に就職を決めたチャラけた法学部生だったが、彼女は優秀だった。結婚後も、自分で学費を稼いで、司法試験予備校に通ったりしてたよ。もちろん俺は彼女を心から応援した。家事もできるかぎりしたし、単語カードから出題するのを手伝ったりした。いまでもたまに、彼女がめくる六法全書の音が、耳によみがえることがある」

「その結婚生活の、どのへんが楽しいわけ」

と、行天がビール缶をつぶしながら聞いた。

「おまえに言われたくない」

多田もビールを飲み干し、二本目の缶に手をのばした。「賢いしかわいい女だったんだよ。充分楽しい生活だろ」

「俺は眠ってしまいそうだよ」

ローテーブルのうえには、行天が事務所じゅうからかき集めてきた酒瓶が林立している。

「彼女は卒業後、二年で司法試験に合格した。悩んだり苦しんだりしながら勉強するのを見ていたから、嬉しかったな。自分以外の人間のことで、あんなに喜べるものだとは知らなかった。そのあとも司法修習ってのがあって、一年半ぐらいほとんど別々に暮らしていたが、不安はなにもなかった」

　多田の毎日は充実していた。会社でばんばん車を売っては、休暇を取っては妻に会いに修習地へ行った。距離はまったく問題にならなかった。それだけ二人は愛しあっていたし、お互いの存在を必要とし、安定した関係を築いていた。

　少なくとも、多田はそう思っていた。

「彼女は弁護士になり、都内の中堅どころの事務所に就職した。働きだして一年で、彼女の年収は俺の年収の二・五倍はあったよ」

「まさか、それが離婚の原因？」

「ちがう。甲斐性もないかもしれないが、そこまでみみっちくもない」

　多田はそろそろビールの味に飽きてきたので、飲みかけの缶をテーブルに置いた。午後に行った家で「おやつに」ともらった塩せんべいを、個包装の袋から出してかじる。

「たしかに、『おいおい、弁護士ってのはすげえなあ』とは思った。忙しさも半端じゃないが、稼ごうと思えばいくらでも稼げる職業なんだなと。だがまあ、個人的な関係において、年収の格差なんてあんまり根本的な問題にならないだろ」

「たぶんね。俺より収入の少ない女ってなかなかいないから、改めて考えたことなかったけど」

　行天はそう言って、シンクに洗いあげてあったコップと、水道水で作り置きしておいた氷を持ってきた。多田は二つのコップに氷を入れ、バーボンをなみなみと注ぎわける。

「ある日、大学の同級生だった女から電話があった。女は、『多田くん、あなた浮気されてるわよ』と言った。俺は笑いとばした。その女は俺たち夫婦の共通の友人だったから、ふざけて冗談を言ってるんだろうと思った」

「でも本当だったんだね」

「そう。俺が軽い気持ちで、『おまえ浮気してるんだってな』とカマをかけたら、それこそ冗談みたいに、妻の顔が一瞬で青ざめた」

本当に妻を信じているのなら、そんな言葉は発さなければいい。友人の戯《ざ》れ言《ごと》と聞き流し、その話題には永遠に触れずにおけばいい。多田は、自分のなかで芽生えた疑念に負けたのだ。

「相手は修習同期の男だったらしい。修習地はべつだったが、東京で再会して、ってところだな。『でももう終わりにする。絶対に会わない』と彼女は泣きながら言った。俺は『わかった』と言ったよ。愛していれば、許すしかない。別れるという選択肢は考えもしなかった」

多田はもちろん、衝撃を受けたし腹を立てもした。だがその腹立ちの大半は、妻が浮気をしていたという事実からではなく、「どうして彼女は、あっさりと浮気を認めたのだろう」という疑問から生まれたものだった。

知りたくなかったと、多田は何度も思った。もし本当に多田を愛しているのなら、死ぬ気で否定してほしかった。妻が否定すれば、多田はそれを信じただろう。

「まずいことに、その直後に彼女の妊娠がわかった」

多田はコップを傾け、喉を湿らせた。「ふつうだったら、奥さんが旦那に妊娠を告げるなんてのは、喜びのハイライトって感じだろう。うちはちがった。ものすごい緊張感があった。めずらしく彼女のほうが先に帰宅していて、ダイニングの椅子に座ってた。会社から帰ってその姿を見た俺は、彼女の両親と親族全員が死にでもしたのかと、半ば本気で覚悟したぐらいだ。『あなたの子だ。信じてほしい』と彼女は言った。俺は信じた。ばかみたいだと思うか？」

「思わない」

と行天は言った。

「俺は実際、生まれてくるのが俺の子だろうがそうじゃなかろうが、いまさらどっちでもよかった。彼女が生んだ子であることに変わりはないからだ。それだけで、俺にとっては本当に大事な……」

みじめに声がぶれて、多田は急いで唾を呑んだ。行天は黙っていた。

「あんなに楽しみになにかを待ったことはない。生まれたと彼女の母親から連絡が入ったときは、会社を早退して病院にすっとんでったよ。息子を抱いても、ボーッとして現実だと思えなかったぐらいだ。だけど、まだベッドに寝ていた彼女は、俺の顔を見たとたん言った。ＤＮＡ鑑定をしようと」

裏切られたと、そのときはじめて多田は思ったのだ。真実を明らかにして、多田の疑念を完全に取り除きたいがゆえの提案だったのだろうが、多田にとってそれは、妻に対する自分の愛と信頼を、すべて踏みにじられたに等しい言葉だった。

「必要ない、俺の子だときみが言ったんじゃないかと俺は言った。彼女にいくら懇願されても、ＤＮＡ鑑定には同意しなかった。子どものことを心から愛しいと思えたから、鑑定の必要なんて感じなかったというのもある。だが、本当のことをあえてはっきりさせずに、彼女を苦しめたいという意地の悪い気持ちが、まったくなかったわけじゃない」

自覚していなかったが、それが多田の、妻の裏切りに対する復讐の形だった。いまならば多田も、自分がどんなに愚かだったかわかる。だがそのときは、信じるという危うくうつくしい行為が、いつのまにか怒りと絶望に転じていたことに気づけなかったのだ。

「終わりはすぐに来た。生後一カ月で、突然子どもが死んだ。ちょっと熱があるみたいだと、夜中に彼女が俺を起こしたんだ。俺が見てるから、きみは休めよと俺は言った。朝になっても微熱がつづくようなら、一緒に病院につれていこうと。彼女は心配でなかなか寝つけないようだった。赤ん坊はおっぱいを飲んだばかりですやすや寝ていたが、俺は子守歌を歌った。彼女のために。『やめてよ、目が冴えちゃうじゃない』と彼女は笑ったよ。静かな夜だった。赤ん坊と彼女の寝息しか聞こえない。俺もいつのまにか眠っていて……。ハッと気づいたときには、ベビーベッドで息子は冷たくなっていた」

行天はソファのうえで片膝を抱え、なんの感情も浮かべずに目を伏せていた。多田はコップのなかの酒を飲み干した。

「それから半年、なんとか頑張ったんだが、駄目だったな。彼女はたまに半狂乱になって、俺をなじるんだ。あの子が苦しんでるのを、黙って見てたんでしょう。あんなにあなたの子だと言ったのに、どうして信じてくれなかったの、って。俺はなにも言えなかった。それがまた彼女を苛立たせる。落ち着くと、ひどいことを言ってごめんなさいと泣いて謝る。その繰り返しだ。彼女も自分でわかっているのに、止められないんだ。離婚してくれと言われても、引き留めようがなかった。やっと逃れられると、ほっとする思いもあった」

多田も行天も、ずいぶん長いあいだ黙っていた。窓の外はまだ真っ暗だったが、気の早い鳥がどこか遠くで鳴いていた。

「多田」

やがて行天が言った。「これまで何回も、いろんなひとから言われたと思うけど、俺も言うよ。あんたはべつに悪くない」

「悪意がなかったからといって、罪ではないということにはならない」

妻がなぜほかの男と寝たのか、多田は知ろうともしなかった。信じるとは口先だけで、子どもの父親がだれなのかたしかめる勇気がなかった。愛していると告げるばかりで、妻にどう思われているのか想像すらできなかった。

自分があらゆる意味で怠慢だったと気づいたときには、取り返しがつかないほど全部が壊れてしまっていた。

「何度も夢を見る。ベビーベッドから息子を抱きあげる夢だ。赤ん坊のあたたかい体の重みが、リアルに感じられる。俺は妻に、ほら生きている、助かったんだよと言う。でももう遅い。彼女には俺の声が届かないんだ。暗い部屋で、彼女は泣いている。一人きりで、いつまでもいつまでも泣いている」

「ねえ、俺の小指に触ってみな」

と、行天は言った。多田が動かずにいると、行天は立って腰をかがめ、テーブル越しに多田の左手を取った。

導かれるまま、多田はひとさし指の腹で、行天の右手の小指にある傷跡をおずおずとたどった。細い線。その部分の皮膚はなめらかで、わずかなふくらみを見せて指のつけ根を一周している。

「こわがらずに触ってみなって」

行天は笑った。多田は視線を落とし、感触を目でも確認した。

篠原利世の家で作った怪我は、真新しいかさぶたで覆われていた。そこから青っぽくなった内出血が手の甲全体に広がっているが、小指の古い傷跡だけはなぜか侵食から免れ、奇妙に白く浮かびあがっている。

「傷はふさがってるでしょ。たしかに小指だけいつもほかよりちょっと冷たいけど、こすってれば、じきにぬくもってくる。すべてが元通りとはいかなくても、修復することはできる」

「やめろ」

多田は手を引っこめた。「俺は楽になりたくて話したわけじゃない」

「じゃあ、なんのために話した」

「家計簿は俺が処分する。それをおまえに納得させるためだ」

「納得いかない。理由になってない」

たしかにそうだ。多田は混乱した。ずっと息をひそめていたものが、今夜、言葉となってあふれた原因がわからなかった。

「どうして楽になっちゃいけないんだ」

行天は両腕を力なく体の脇に下げ、多田のまえにたたずんでいる。「あんたはパークヒルズのガキに、生きてればいつまでもチャンスはあるって言ったじゃないか。あれは嘘か。口からでまかせを言っただけだったのか」

「俺だって許されたいし、彼女を許したい。忘れられるものなら忘れてしまいたい。……でも無理だ」

苦い思いで多田が笑うと、

「あんたが言葉を使えって言ったから」

と行天は途方に暮れたように、ソファに作った自分の巣に再び腰を下ろした。「だけどうまくいかないな」

多田は言った。

「行天。朝になったら出ていってくれないか」

一人でいたいとずっと思ってきたのに、なぜもっと早くこの言葉を言わなかったのか、不思議なほどだ。

「うん」

行天はあっさりうなずいた。多田は家計簿を手にソファから立って、仕切りのカーテンをくぐり、自分の縄張りへ戻った。

まほろ市の空が、清らかな水のような朝の光を湛《たた》えはじめたころ、事務所のドアが閉まるかすかな音がした。

応接ソファには、行天が使っていた毛布が畳まれていた。多田はローテーブルのうえを片づけようとして、酒瓶にまぎれて置いてある小さな菓子の缶に気づいた。蓋を開けてみると、一年のあいだに貯めこんだらしい金と、北村周一が書いた連絡先のメモが入っていた。

多田は床に膝をつき、ソファの下を覗いた。なにもない。そこで埃をかぶっていたはずの、健康サンダルも消えていた。

多田はソファに座り、煙草を吸いながら、どんどん明るくなっていく窓の外を眺めた。それからいつものように身支度をし、仕事に出かけた。


「いらっしゃーい」

歓声とともにクラッカーが鳴らされる。

毒々しい蜘蛛が吐きだしたような、原色の紙の糸を頭から払い落とし、

「なにをしてるんですか」

と多田は尋ねた。

「クリスマスパーティーに決まってるじゃなぁい。さ、入って入ってぇ」

と、ルルが腕をつかんで引っ張る。

ルルとハイシーが住むアパートの一室は、安っぽいキャバレーのようになっていた。折り紙で作った鎖が天井から縦横無尽に張りめぐらされ、蛍光灯の笠には赤いセロファンがかぶせてあり、

テーブルのうえには銀色の小さなモミの木が鎮座している。

「さっきまでマリちゃんと、マリちゃんの友だちのシノブちゃんが遊びにきてくれてたのよぅ」

ルルは強引に、多田を居間に座らせた。「便利屋さんが来るの遅いから、帰っちゃったけどぉ。ハナちゃんにステキな帽子を作ってくれたんだからぁ」

チワワが多田の足もとに寄ってきて、震えながら尻尾を振った。三角のとんがり帽を、耳のあいだにのせている。よく見ると、使用済みのクラッカーだった。穴をあけて通した紐を、顎の下で結んである。

「ルルー、ちょっと手伝ってよ」

台所にいたハイシーに呼ばれ、ルルは「はぁい」と立ちあがった。冷蔵庫から、半分ぐらいに減ったサラダとフルーツポンチの器を出してきて、テーブルに並べる。

「なにか依頼があるんじゃ……」

前々から、二十五日の夕方に来てくれと言われていたのだ。どういうことだかわからずに多田が問うと、ハイシーがカレーライスを盛った皿をドンと置き、

「ちがうよ。パーティーに招待したんだよ」

と言った。

「今日はオトモダチはぁ？　あとから来るのぉ？」

とルルに尋ねられ、多田はテーブルに並んだ食べ物を見据えたまま、

「いえ、あいつには暇を出したので」

と答えた。

「冷めちゃうから、食べてよ」

ハイシーが勧める。ルルとハイシーは、マリとシノブと一緒に、早めの夕飯を済ませたらしい。

多田はスプーンを手に取り、子供向けに少し甘く作ってあるカレーを食べた。

向かいに座ったルルとハイシーは、多田が食事をするのを見守っている。フルーツポンチをよそったり、発泡酒をコップに注いだりと、かいがいしく世話を焼いてくれる。

チワワは小型犬用の骨の形をしたガムを、部屋の隅で熱心にかじっていた。こいつも一応は獣だったんだなあと、多田が感心して眺めていると、

「オトモダチと喧嘩でもしたのぉ？」

とルルが聞いた。

「してませんよ」

多田は端的に答えた。「出ていってもらっただけです。円満に」

「あのひと、行くとこなんかあるの？」

ハイシーが細い煙草をふかす。メンソールの香りが、狭い部屋のなかに充満した。

ルルとハイシーの部屋に、多田は一時間ほどいた。帰り際にルルは、

「早く仲直りしなよぅ」

と言った。「便利屋さんたちのおかげでぇ、あたしたち楽しい年を過ごせたんだもん。また依頼するからぁ、一緒に来てよねぇ」

多田は返答に困り、曖昧に笑って、アパートの外階段を下りた。下りたところで振り仰ぐと、戸口に並んで立ったルルとハイシーが、やっぱり多田を見送っていた。逆光になった二人の影が、そろって手を振る。ハイシーはチワワを抱いているようだ。

これと同じ風景を、以前にも見た、と多田は思う。あのときは、事務所に帰ると行天がいた。だが今夜はちがう。平穏で、だれにも乱されることのない時間を過ごせるのだ。

猥雑な裏通りを駅に向かって歩きながら、多田はため息をついた。安堵から出たものだと思おうとしたが、白い息が顔のまえで消えるよりも早く、そうではないことに気づいてしまった。

多田はなんだか、落ち着かない気持ちでいるのだった。

たかをくくっていた。行天はきっと、ルルとハイシーの部屋に転がりこんでいるだろう、と。行天に行くところなどないはずだ。冬のまっただなかに、金も持たずに出ていったのだから、近場にいるにちがいないと多田は思っていた。

出ていけと言えば、行天は素直に、永遠に姿をくらませ、暗いほうへ暗いほうへと泰然と一人で流れていってしまうと、本当は心のどこかでわかっていたのに。多田は、問われもしないのに過去をまくしたて、臆病さから行天を追いだしたのだ。拾った犬が予想以上に大きく育ったからと言って、あっさり捨ててしまう、まぬけで非情な飼い主のようではないか。

自分に腹を立てながら、多田が事務所に戻ると、ドアに宅配便の不在配達票が挟まっていた。めずらしいなと思ってよく見ると、差出人の欄には「田代造園業」と書いてある。多田にはまったく覚えがないから、行天が頼んだ荷物だろう。

多田はすぐに、配達人の携帯電話に連絡を入れた。ほどなくして、近くをまわっていたらしい配達人が、人間が入っていてもおかしくないぐらい巨大な箱を重そうに事務所に運んできた。

伝票には「お正月用品」と書いてある。不吉だ。いっそのこと受け取りを拒否したかったが、多田はしぶしぶ判を押した。もう一度箱を抱えて階段を下りろと言ったら、配達人が逆上するかもしれない。

まさか、さっそくトラブルに巻きこまれた行天が入っていたりしないだろうな。完全犯罪は可能だと、星が行天で実証してみせたということもありうる。

多田は箱に血痕が付着していないか慎重にたしかめ、天辺《てっぺん》のガムテープを少しはがして、鼻を寄せた。腐敗臭はしないようだ。

思いきって箱を開けると、一・五メートルはあろうかという門松が現れた。ふんだんに使われた松と竹。根本には白とピンクの葉牡丹。赤い南天の実を贅沢にちりばめた、豪華な一品だ。同封の手紙には、「多田便利軒様　ご予約ありがとうございました。ご注文いただいた品をお届けいたします。弊社では、素材を厳選した門松を、一台一台手作りしております。みなさまがよいお年をお迎えになられますことを、社員一同心より祈念し」云々と書いてあった。

「こんなデカいもん、どこに飾れっていうんだ」

二人の美女に詰め寄られた気分で、多田は門松を見比べた。勝手なことをするなと多田が怒ったとき、行天がいつになく動揺していたのは、この門松のためだったのだ。予約までして、門松を買っている場合だろうか。金もないくせになにを考えていたんだと、多田はあきれた。

室内に門松を立たせておくわけにもいかない。多田はとりあえず、ドアの外に引きずりだした。ドアまわりのスペースは狭い。片方の門松は、消火器をどけてドアの横に設置したが、どう考えても、もう片方は階段に置くしかない。だが土台が大きいから、一段には収まりそうもない。多田は一方の門松を、階段の踊り場まで運び下ろした。本物の植物を使った巨大門松は、瑞々しい重量があって、腰に多大な負担がかかった。

ずいぶんな距離と高低差を保って配置された門松は、ちっとも門松に見えなかった。

多田は痛む腰をさすりながら階段を上がり、再び無人の事務所に入って、作業用のジャンパーを脱いだ。ローテーブルに投げだしておいた、門松製作者からの手紙を捨てようとし、引っかかりを覚えてもう一度、封筒の中身を確認する。

挨拶状のほかに、請求書が入っていた。

「やっぱり未払いだよ……」

行天が残していった菓子の缶を開け、札を数える。「しかも全然たりねえし」

どうして楽になってはいけないのか、と行天は言った。まったくだ、と多田は思った。楽になって悪いということはない。余計な置きみやげを送りつけやがって、最後まで迷惑なやつだ。いなくなって清々した。これからは楽になれるというものだ。

勢いよくベッドに寝転がり、多田は煙草をくわえて天井を見上げた。火の気のない部屋は冷えこんで、一本を吸い終えるころには腰の痛みがひどくなっていた。

多田は起きあがり、契約書を挟んだファイルを振った。三峯凪子の連絡先が書かれたメモが、白い蝶のようにふわりと床に落ちた。行天が放りっぱなしにしていたので、多田が念のためファイルに入れておいたものだ。

腰をかばいながらメモを拾い、受話器を持ちあげようとして、急にばからしくなった。

「なにをやってんだ、俺は」

ベッドに戻り、目を閉じる。夢は見なかった。

翌朝、仕事に行こうと事務所のドアを開けた多田は、ふと踊り場を見て肩を揺らした。その拍子に閉まったドアの陰に、いつもとちがった気配があり、今度こそ多田は飛びすさった。

多田を驚かせたものの正体は、どちらも巨大門松だった。葉っぱで偽装したゲリラでも入りこんだのかと、一瞬身構えてしまった。やはり、門松を離して置くのはよくない。

多田は苦労して、二台の門松をビルの入口に運んだ。古ぼけた建物には不似合いだが、なにをしているのか定かでないほかの入居者たちも、文句は言うまい。

早朝の重労働のせいで、腰はますます悪化したが、依頼人が待っている。

それからの数日間、多田は腰に何枚も湿布を貼って働いた。作業の合間に、行天の言葉を何度も思い出した。

怯えているように見える、と行天は言った。

もしそうだとしたら、なにに？　なにを恐れて、俺は北村周一とかかわることを避けようとしたのだろう。

奔流のように、行天に自分の過去を叩きつけてまで。

考えながらも、体は機械的に動いた。行天は戻ってこないままだった。木村家でもらった餅を、一人で正月に食べきるのは不可能だ。

多田は餅を数え、夕飯に三個ずつ消費していくことにした。網もトースターもないので、餅をヤカンで茹で、醤油をかけて食べた。

「うまいなあ」

穀物のほのかな甘みがある、まろやかな舌触りの餅だった。

北村周一はこの餅を食えないんだな、と多田はふいに思った。ローテーブルに置いたままにしてあった、行天の貯金箱が目に入った。


ほとんどの会社が、年内の業務を終える日だった。

ぎりぎりまで仕事に追われていたのだろう。新宿にある旅行会社の、人事部に勤めているという北村は、約束の時間を三分過ぎて「アポロン」に駆けこんできた。

「すみません、遅れてしまって」

と北村周一は言い、すぐに水を持ってきた店員に、「アポロン」オリジナルの太陽ブレンドを注文した。

「かまいませんよ。こちらが突然お願いしたんですから」

と多田は言った。

話したいことがあるので、少し時間をもらえないか、と多田が昼に電話をすると、北村は意気込んで、「じゃあ今日にでも」と、さっさと場所と時間を指定したのだ。早めに北村に会わないと、また逡巡が生まれてしまう。そう思っていたから、強引さがかえってありがたかったぐらいだ。

「お話というのは……」

太陽ブレンドをすすった北村は、待ちきれなかったのか、早速本題に入るよううながした。

「木村さん一家のことです。奥さんは料理が上手で、社交的な明るいひとでした。旦那さんは優しそうで、庭いじりが趣味。二人には娘さんと息子さんがいて、すでに家を出ていますが、連絡は密に取りあっているようでした。彼らはとても……幸せそうだ。俺には、そう見えました」

それを言うためだけに呼びだしたのか、とあきれられるだろう。だが、多田の予想ははずれた。北村は多田の言葉を聞き終わると、大きく息を吐いた。期待と不安に彩られていた表情が、みるみるうちに明るいものへと変わっていく。

「よかった」

と北村は笑った。多田はつづきを待ったが、いつまでたっても、北村は黙ってにこにこしているばかりだ。

「……それだけですか？」

と多田は尋ねた。

「はい？」

「いや、こんな報告で本当に満足なさったのかなと」

「嘘なんですか。木村さんちには、実はなにか問題でもあるんでしょうか」

「なにもありません」

多田はあわてて否定した。「俺の見たかぎりの印象を、正直に言いました」

「それならいいんです」

北村はまた太陽ブレンドに口をつけた。「木村さんたちが幸せなら、それで」

コーヒーカップを皿に戻し、北村は姿勢を正して、「ありがとうございます」と言った。

「でもどうして、教えてくれたんです？　考えてみれば、多田さんの言い分はもっともだと思って、俺、諦めてました」

「気が変わっただけです」

多田は安定の悪い椅子の背に、用心しながら深く身を預けた。腰が痛くて、まっすぐ座っていられない。多田の足もとで、餅の入った袋と家計簿の入った袋が触れあった。

「それで北村さん、これからどうするんですか？　木村さんに会いにいきますか」

「行きませんよ」

北村は水浴びしたあとの犬みたいに、ぶんぶんと首を振った。「そりゃあ、今後絶対に会いたくならない、とは断言できません。でもいまは、安心したし、満足です。俺も幸せにやっていて、俺の家族になるかもしれなかったひとたちも、幸せに暮らしている。それを知ることができただけで、充分なんです」

北村は静かに、だが力強く言った。

ああ、この男はとうに選んでいたのだ、と多田は思った。すべてを受け止めることを、選択していたのだ。

規定の料金を払うという北村の申し出を、多田はもちろん断った。北村は「じゃあせめて」と言って、「アポロン」のコーヒー代を持ってくれた。

駅前の大通りを、一緒に歩いた。

「南口ロータリーで、家族と待ち合わせしてるんですよ。エムシーホテルで、飯を食うんです」

エムシーホテルは、まほろ市で一番大きなホテルだ。以前は「まほろシティホテル」という名の地味なビジネスホテルだったが、有名シェフを引き抜いたとかで、リニューアルオープンしてから市民に人気だ。多田は行ったことがない。

「正月休みに、彼女の両親が上京して、うちに挨拶に来てくれるんです。そうしたらお袋が、ご馳走するのに、まずかったら大変だ。レストランを下調べしておこうって言い張るもんで。ただ自分が二回、ホテルで飯を食いたいだけのくせに」

北村は照れくさそうだ。多田は笑った。

「北村さん、俺はこわかったんですよ。あなたには、いまの家族になにか不満があるんじゃないかと」

木村夫妻を、自分の家族として選び直したがっているのではないかと、こわかった。それは多田の希望を打ち砕く行為だったからだ。多田にとって北村は、死んでしまった赤ん坊の、ついに迎えることのなかった未来を体現する存在だった。

血をよりどころにせず、つながった家族。

たとえ自分の子ではなかったとしても、多田は愛したかったし、愛されたかった。妻と子どもと幸せにやっていけるのだと、一生をかけて証明したいと願っていた。心から。

「まさか」

北村はきょとんとして言った。「そりゃ、些細な不満はあるし、喧嘩もします。でも俺にとっての親は、うちの両親以外にいませんよ。親もそう言いました。俺の血液型がわかったときに、いまさらだれがなにを言おうと、あんたはうちの子だと」

南口ロータリーを見まわし、「ああ、いたいた」と北村はちょっと手をあげた。広場の片隅に、小柄で肉づきのいい中年夫婦と、よく似た体型の若い男が立っていた。北村の両親と弟だろう。

多田は少し迷った末に、家計簿の入った袋は脇に挟み、餅の入った紙袋だけを、

「そうだ、これ」

と言って北村に差しだした。「田舎から送ってきた餅です。なかなかうまいんで、ぜひみなさんで」

北村は持ち重りのする袋を受け取り、

「こんなにいいんですか」

と言った。

「お礼です。あなたに会わなかったら、俺はまた同じことを繰り返すところだった」

知ろうとせず、求めようとせず、だれともまじわらぬことを安寧と見間違えたまま、臆病に息をするだけの日々を送るところだった。

「もし、木村さん夫婦に会いたいと思うことがあったら、まずは多田便利軒に電話してください。手伝えることがあるかもしれません」

すべてをやり直したいと願うほど、北村が苦しむ日がもし来たとしたら。そのときこそ、妙子の家計簿を渡そう。北村が少しでも救われるように。

北村は怪訝そうだったが、多田が「よいお年を」と言うと、家族を待たせていることを思い出したのだろう。

「多田さんも」

と言って、ロータリーを小走りで横切っていった。「お餅、いただきます。ありがとうございました」

長身の北村が、覗きこむように背を折って、待っていた三人になにか言う。笑いあい、雑踏に消えていく家族の姿を、多田はしばらく見送った。

その夜、多田は妙子の家計簿を、事務所の机に大切にしまった。それから、心当たりのあるひとにたてつづけに電話をかけた。とはいっても、三本だけだ。

ルルは、「あらぁ、まだ迷子なのぉ。心配ねぇ。見かけたらすぐ連絡するわぁ」と言った。

星には、「知るか。飼い犬の面倒ぐらい自分で見ろボケ。いま取り込み中だ」と乱暴に通話を切られた。なんだか息が荒かったから、新村清海と一緒にいたのかもしれない。

三峯凪子は、

「春ちゃん？　ここには来ていません」

と、あいかわらず堅苦しい口調で答えた。「どうしたんです。喧嘩ですか？」

「喧嘩するほど仲がよくありません」

三峯凪子は笑ったようだった。

「そのうち帰ってきますよ。おなかが減ったら」

だれもかれもが、行天を幼児か動物と同等のものと認識しているようだ。「どうも。お騒がせして」と多田は言った。

最後の綱も断ち切れ、行天の足跡《そくせき》をまったくたぐりよせられないまま、多田は事務所で一人、インスタントラーメンを食べて年末年始を過ごした。

静かで変わり映えのしない新年は、二日の夜にかかってきた電話で終わりを告げた。

「便利屋。俺だ、山城町の岡だ。やはり横中バスは、絶対に、神かけて、間引き運転をしているぞ！　こんな横暴を許しておいていいのか！」

まほろ市内を走る横浜中央交通のバスは、新しい年も、律儀に堅実に時刻表どおりの運行をしていた。

なんとか岡を納得させ、一日がかりの仕事から解放されたときには、あたりはすっかり暗くなっていた。

やれやれ、と多田は強ばってしまった腰をのばす。激しい既視感がある。去年も俺はここで、新年早々、徒労に終わるとわかっている作業をさせられていなかったか？　と多田は思う。

そうだ、そしてこのバス停で行天に会い、さんざんな一年がはじまったのだ。

多田は軽トラックに乗ろうとしていたが、動きを止め、岡邸の門前に出て、山城町二丁目のバス停を見た。ベンチにはだれもいなかった。当たり前だ。まほろ駅への終バスは、とっくに通りすぎたあとだ。

多田は岡邸の庭に引き返し、再び軽トラックのドアに手をかけた。

近くの家から、室内犬の吠える声が聞こえだす。

確信に近い予感がした。多田はもう一度通りへ出て、バス停を見た。黒いコートを着て、ちぐはぐな手袋をはめた行天が、ベンチに座っていた。

ゆっくりと近づき、声をかける。

「こんなところでなにをしてるんだ？」

行天は驚いて座面から腰を浮かし、顔を上げた。立っているのが多田だとわかったはずなのに、黙ったままだ。

「バス、もうないぞ」

と多田が重ねて言うと、居心地悪そうに身じろぎし、

「知ってる」

とやっと口を開いた。

多田は行天の隣に、しずしずと座った。急に動くと、腰に響くのだ。

「いままでどこにいた」

「花園」

「そりゃたしかに、おまえの頭はいつものんきな花園だろうが、そうじゃなくて……」

言いかけて多田は、それが篠原利世の住むアパートの名称だと気づいた。「どうやってたぶらかしたんだ」

「べつに。玄関のまえに座ってたら、クリスマスに朝帰りしてきて、部屋に入れてくれた。帰省するって言うから、そのあいだ留守番してた。でもさっき戻ってきたんで、留守番はもういらないでしょ。金ないし腹へったし、さてどうしようと思ってたら、あんたに会った」

行天に言いたかった。探していたのだと。北村周一が選んだことを、多田が恐れていたものがなんだったかを、伝えたくて探していたと。

だが、なだれをうってあふれたこともあるのが嘘のように、言葉の大部分はまた胸のうちにひっそりと沈殿したきりで、なんとか口をついて出たものは結局、至極単純な形をしていた。

「帰るぞ、行天」

多田は慎重に立ちあがった。「多田便利軒は、ただいまアルバイト募集中だ」

「なんで」

行天もつられたように立ち、ひょこひょことついてくる。

「見てわからないか。俺は腰が痛いんだよ」

「なんで」

「おまえのせいだ！　なんだあの門松は！」

「気に入らなかった？」

気に入るもんかと言おうとして、やめた。かわりに行天が、軽トラックに乗ってからずっと、注文した門松がいかにすばらしいかをしゃべりつづけた。

「わざわざ山んなかに行って、木を切ってくるんだってさ。撤去もしてくれるんだよ。でも俺は断ったけど。とっておいたら、来年もまた使えるじゃない」

あほか、生木なんだから枯れるだろうが。

あの巨大な門松を、俺が解体して処分しなきゃならないわけか。多田はうんざりした。だがまあ、便利屋の得意分野だ。やるしかない。

「おまえ、俺に会わなくても、今夜じゅうに事務所に転がりこんでくるつもりだっただろう」

多田が諦めとともに尋ねると、行天は「どうかな」と笑った。

「行くとこなくて困ってるんです、って、電話帳に載ってる便利屋に、片っ端から相談してみようかとは思ってたけど」

交差点から駅前通りへ入ると、前方にまほろの中心部のにぎわいが見えてきた。

駅にも広場にもひとが行き交い、ビル群は競うように明かりを灯す。厚い雲のかかった冬の夜空は、光を反射してそこだけ白く輝いている。

多くの車がまほろ駅前を目指し、まほろ駅前からどこかへ散らばる。多田便利軒の軽トラックも、流れる赤いテールランプのなかのひとつになり、しかしたしかな意志をもって、事務所のある古ぼけたビルへ向かっていく。

目を閉じていても思い浮かぶ、まほろ駅前の街並み。密集したビルはひとかたまりになって、大きな生き物のようにどんどん近づいてくる。

砂漠を行く隊商は、中継地点にたどりついたとき、こんな気持ちになるのかもしれないな、と多田は思った。

生い繁る緑の木々、オアシスの上空にだけ舞う鳥の影、水辺に憩うひとのざわめき。

もう終わりにしたいと願ってたどりついたのに、そこにはいつも、新しい旅のはじまりが準備されているのだ。

暖房のきいた車内はあたたかい。行天は手袋をはずし、煙草を吸っている。甲のかさぶたはずいぶん小さくなって、その下に花の色に似た皮膚が薄く張っている。なにかを約束する印のように、小指の根本は白い線で結ばれている。

失ったものが完全に戻ってくることはなく、得たと思った瞬間には記憶になってしまうのだとしても。

今度こそ多田は、はっきりと言うことができる。

幸福は再生する、と。

形を変え、さまざまな姿で、それを求めるひとたちのところへ何度でも、そっと訪れてくるのだ。

初出＝別册文藝春秋二五五～二六〇号

三浦しをん

一九七六年東京生まれ。

早稲田大学第一文学部卒業。

二〇〇〇年、長編小説『格闘する者に○』（草思社）でデビュー。

今、もっとも注目をあつめる気鋭作家のひとりである。

近著に『私が語りはじめた彼は』（新潮社）『むかしのはなし』（幻冬舎）などがある。

また、ウェブマガジン Boiled Eggs Online（http://www.boiledeggs.com）の連載「しをんのしおり」をまとめたエッセイ集も人気を博している。

最新エッセイ集は『桃色トワイライト』（太田出版）。

まほろ駅《えき》前《まえ》多《た》田《だ》便《べん》利《り》軒《けん》

二〇〇六年三月二十五日　第一刷発行
二〇〇六年八月　一　日　第五刷発行

著　者　三浦《みうら》しをん
発行者　白幡光明
発行所　株式会社　文藝春秋
〒102-8008　東京都千代田区紀尾井町三—二三
電話　〇三—三二六五—一二一一
印刷所　凸版印刷
製本所　中島製本

ISBN4-16-324670-3